LA PEAU
ET LE TOUCHER

ASHLEY MONTAGU

LA PEAU
ET LE TOUCHER

UN PREMIER LANGAGE

Préface de Frédérick Leboyer

TRADUIT DE L'AMÉRICAIN
PAR CATHERINE ERHEL

ÉDITIONS DU SEUIL
27, rue Jacob, Paris VIe

ISBN : 2-02-005307-1
ISBN original : 0-231-03488-1

Titre original : Touching :
The Human Significance of the Skin

© *1971, Columbia University Press*
© *1979, Éditions du Seuil, pour la traduction française*

Préface

Voici un livre qui s'annonce comme un ouvrage de psychologie expérimentale et qui se lit comme un roman.

On y va de surprise en surprise, de découverte en découverte.

Et de prise de conscience en prise de conscience.

Au point que, la surprise passée, on reste profondément troublé.

Si l'on en croit ce que dit l'ouvrage — et comment faire autrement quand tous les faits rapportés le sont par des chercheurs, des savants éminents —, force nous est de changer du tout au tout l'image que nous nous faisions du petit enfant, du bébé.

Partant, notre attitude, notre relation.

L'intérêt tout particulier que j'ai porté à ce livre et qui m'a conduit à en souhaiter la traduction vient de ce qu'il apporte les preuves scientifiques des conclusions auxquelles j'étais, moi-même, arrivé en suivant une démarche différente, et qui m'avaient amené à modifier profondément mon attitude, ma manière d'accueillir le nouveau-né lors de son arrivée parmi nous.

Sans aucun doute, après la lecture de ce livre il n'est plus possible pour quiconque de considérer le nouveau-né comme un objet, comme une chose.

Et les conséquences de cette découverte sont incalculables.

Frédérick Leboyer.

En hommage à Howard Gossage.

Préface

Ce livre a pour objet l'étude de la peau en tant qu'organe tactile et de son influence sur la croissance physique de l'organisme et le développement du comportement. Mon propos ici était d'observer comment l'expérience tactile de l'homme — ce qu'il a vécu, ou ce qu'il n'a pas pu vivre, au niveau sensoriel, lorsqu'il était enfant — affectait le développement ultérieur de son comportement. En 1944, lorsque j'ai commencé à réfléchir à ce sujet, il y avait peu de résultats expérimentaux en la matière. Aujourd'hui, on dispose d'une foule d'observations sur ces questions et mon article « Les influences sensorielles de la peau » (*Texas Reports on Biology & Medicine*, vol. 2, 1953, p. 291-301), qui faisait figure de pionnier en 1953, s'accompagne maintenant de quantités d'autres publications.

L'étude de la peau en tant qu'organe — c'est même l'organe le plus étendu du corps humain — a été tout à fait négligée jusqu'à une date toute récente. Mais ce n'est pas en tant qu'organe que la peau m'intéresse; en fait c'est par opposition à l'approche psychosomatique, ou centrifuge. Mon but serait d'établir une approche somatopsychique, c'est-à-dire centripète. Autrement dit, ce qui m'intéresse, c'est la manière dont l'expérience tactile précoce — ou son absence — affecte le développement du comportement; d'où ce premier chapitre : « La mémoire de la peau ».

Ashley Montagu,
Princeton, New Jersey,
8 février 1971.

La mémoire de la peau

> Le toucher est le sens le plus important de notre corps. Sans doute est-ce celui qui intervient le plus dans les phénomènes de veille et de sommeil. Il nous donne la notion de la profondeur, de l'épaisseur, des formes. C'est par notre peau, grâce au toucher, que nous ressentons, aimons, détestons [1].

La peau nous enveloppe complètement, comme une cape. C'est le premier-né de nos organes, et le plus sensible. C'est notre premier mode de communication, et la plus efficace de nos protections. Après le cerveau, la peau est sans doute l'ensemble d'organes le plus important. Le sens du toucher, celui qui est le plus étroitement associé à la peau, est le premier à se développer chez l'embryon humain. Avant 8 semaines, alors que l'embryon n'a encore que 3 centimètres de long, un léger coup sur la lèvre supérieure ou les ailes du nez lui fera courber le cou et son corps s'éloignera du point de douleur. A ce niveau de développement, l'embryon n'a ni yeux ni oreilles. Cependant, sa peau est déjà très élaborée, même si à ce stade elle n'est pas comparable à ce qu'elle sera ultérieurement. Dans la matrice, baigné dans le liquide amniotique, le conceptus [2] mène une existence aquatique, « balancé dans le berceau des profondeurs ». Dans cet environnement, sa peau doit avoir une résistance suffisante pour ne pas absorber trop d'eau et ne pas s'imbiber de ce

---

1. J. Lionel Taylor, *The Stages of Human Life*, 1921, p. 157.
2. Conceptus : nom donné à l'organisme entre le moment de la conception et de la délivrance. Embryon : de la conception jusqu'à la fin de la 8ᵉ semaine. Fœtus : du début de la 9ᵉ semaine jusqu'à l'accouchement.

milieu liquide. Elle doit aussi pouvoir s'adapter à tous les changements nerveux, physique et chimique, ainsi qu'aux écarts de température.

La peau provient de l'ectoderme, la plus externe des trois couches cellulaires de l'embryon. L'ectoderme donne également naissance aux cheveux, aux dents, ainsi qu'aux organes sensoriels de l'odorat, du goût, de l'audition, de la vision et du toucher. Le système nerveux, dont la principale fonction est d'informer l'organisme de ce qui se passe à l'extérieur, est la pièce maîtresse des systèmes issus de l'ectoderme.

La croissance de la peau, son développement, qui se poursuit tout au long de la vie, et l'épanouissement de sa sensibilité dépendent en grande partie des stimulations qu'elle reçoit de l'environnement. Il est assez intéressant d'observer que chez le poulet, le cochon d'Inde ou le rat, comme chez le nouveau-né, le poids relatif de la peau est de 19,7 % du poids total du corps. C'est-à-dire presque identique à ce qu'il est chez l'adulte : 17,8 %, ce qui suggère un fait qui devrait être évident : l'importance permanente de la peau dans la vie de l'organisme.

Chez les autres animaux on s'est aperçu que « la sensibilité de la peau se développe apparemment davantage et plus tôt au cours de la vie prénatale ». Or il existe une loi générale en embryologie, qui veut que plus une fonction se développe tôt, plus il est probable qu'elle sera fondamentale. Le fait est que les caractéristiques fonctionnelles de la peau sont parmi les plus fondamentales.

La surface de la peau comporte un nombre énorme de récepteurs sensoriels qui reçoivent des stimulus de chaleur, de froid, de contact et de douleur. On a estimé qu'il existe environ 50 récepteurs sur 100 mm². Le nombre des points tactiles varie de 7 à 135 par cm². Celui des fibres sensorielles allant de la peau à la moelle épinière par les racines nerveuses dépasse largement le demi-million.

A la naissance, la peau doit donner beaucoup de réponses nouvelles pour s'adapter à un environnement encore plus complexe pour elle que celui de la matrice. Le milieu atmosphérique transmet non seulement des gaz, des particules, des parasites, des virus, des bactéries, mais aussi des changements de pression, de température, d'humidité, de lumière, de radiations, et beaucoup d'autres choses. La peau est équipée pour répondre à tous ces stimuli avec une efficacité extraordinaire. Elle est de loin le système d'organes le plus étendu de notre corps : environ 2 500 cm² chez le nouveau-né et 18 000 cm² en moyenne chez l'adulte. Elle assure quatre fonctions physiologiques : 1. elle protège les parties qu'elle recouvre contre les agressions mécaniques et les radiations et évite l'intrusion de substances et de corps étrangers; 2. elle est un organe sensoriel; 3. elle est un régulateur thermique; 4. enfin, elle est un organe métabolique et intervient dans le métabolisme des réserves de graisses et dans celui de l'eau et du sel. On aurait pu penser que la remarquable faculté d'adaptation de la peau, sa résistance aux changements de l'environnement, ses aptitudes thermostatiques et tactiles étonnantes, sans compter l'efficacité particulière du rempart qu'elle oppose aux agressions du milieu, bref que toutes ces propriétés seraient suffisamment marquantes pour susciter l'intérêt des chercheurs.

Mais, aussi étrange que cela puisse paraître, ce ne fut pas le cas, du moins jusqu'à ces dernières années. En fait, la majeure partie de ce que nous savons des fonctions de la peau a été découverte depuis les années quarante. Bien que nous ayons acquis une bonne connaissance à la fois de la structure et des fonctions de la peau, il nous en reste encore bien plus à apprendre.

L'importance des fonctions tactiles de la peau dans le comportement humain n'est pas passée complètement inaperçue. Elle transparaît de façon évidente dans de nombreuses expressions du langage parlé qui mentionnent ses fonctions. Pour flatter quelqu'un, on parle de « le caresser dans le sens du poil ». On dit de quelqu'un qu'il a « la main heureuse », et d'un autre qu'il a « touché juste ». D'un troisième qu'il a « le contact humain ». On entre en « contact » avec les autres. On parvient à les « toucher » — les joindre. Certaines personnes sont à « manier en y mettant les formes », avec des « gants de velours ». D'autres ont « la peau dure ». D'autres encore ont une susceptibilité « à fleur de peau ». On peut « entrer dans la peau d'un personnage » ou « avoir quelqu'un dans la peau ». Il nous arrive périodiquement de « faire peau neuve ». On « touche une réalité

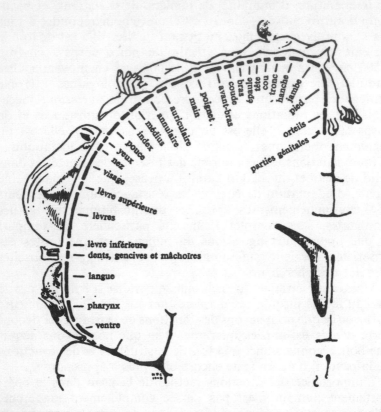

Figure 1. L'homonculus sensoriel, d'après un hémisphère en coupe. La ligne pleine indique l'étendue de la représentation corticale.

du doigt ». Les choses sont « palpables », « tangibles », ou ne sont pas. Certaines personnes sont « à vif », c'est-à-dire hyper-sensibles et facilement irritables.

« Sentir » quelque chose est important pour nous, à plus d'un titre. Et l'« impression » que nous produit quelqu'un d'autre incarne bien cette sorte de sensation que nous éprouvons dans notre peau. La perception par le « toucher » a une résonance profonde en nous. On dit de certaines personnes qu'elles ont du « tact » et d'autres qu'elles manquent de « tact », c'est-à-dire

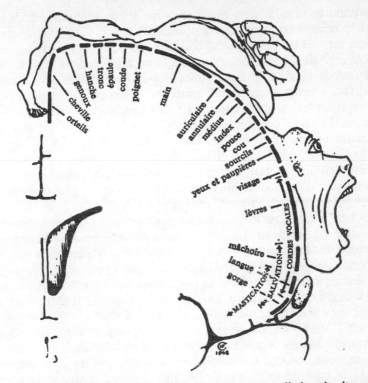

Figure 2. L'homonculus moteur. Même s'il y a une corrélation étroite entre les représentations motrices et sensorielles, la correspondance n'est pas totale. La représentation des sensations se rapporte à des points et des zones précis du corps, alors que la représentation motrice se préoccupe du mouvement des organes (extrait de W. Penfield et T. Rasmussen, *Le Cortex dans le cerveau humain*, New York, Macmillan Co, 1950, p. 214, par autorisation spéciale).

qu'elles ont ou n'ont pas la finesse de sentir ce qu'il convient de faire dans leurs rapports avec autrui.

Au-delà de ces aperçus superficiels sur la peau, les découvertes des physiologistes, anatomistes, neurologues, psychiatres, psychologues, etc., ainsi que nos propres observations nous permettent de comprendre que la peau est beaucoup plus qu'un simple tégument destiné à éviter au squelette de s'effondrer, ou une simple enveloppe recouvrant tous les autres organes. Elle est elle-même un organe à part entière. Non seulement c'est

13

l'organe le plus étendu du corps, mais les différents éléments qui la constituent ont une représentation très importante dans le cerveau, et les proportions de l'aire tactile du cerveau donnent un aperçu de l'importance des fonctions tactiles dans le développement de l'individu. Les figures 1 et 2 représentent les homunculi (ou « petits hommes »), moteurs et sensoriels, et montrent la représentation proportionnelle des fonctions tactiles dans le cortex. D'après ces figures, on réalise à quel point l'image de la main est étendue, surtout pour le pouce et l'index. Quant à la projection des lèvres, elle est énorme.

En résumé : en tant que système sensoriel, la peau est de loin l'ensemble d'organes le plus important du corps. Un être humain peut vivre aveugle, sourd, et manquer totalement de goût et d'odorat, mais il ne saurait survivre un instant sans les fonctions assurées par la peau. Le cas d'Helen Keller, devenue sourde et aveugle dans son plus jeune âge, et dont l'esprit a été entièrement façonné par les stimulations de la peau, nous prouve que, lorsque les autres sens font défaut, la peau peut pallier leurs déficiences à un degré extraordinaire. Le sens de la douleur, transmis de la peau au cerveau, constitue un système d'alerte vital destiné à forcer l'attention. La situation connue sous le nom de *alagia cutanée*, et dans laquelle l'individu est insensible à la douleur sur sa peau, est une maladie grave. On sait que les gens atteints d'alagia cutanée subissent des brûlures sérieuses avant de prendre conscience du danger. La vie de ces gens est exposée à tout moment.

La stimulation permanente de la peau par l'environnement sert à maintenir son tonus à la fois sensoriel et moteur. Le cerveau doit recevoir de la peau des informations sensorielles en retour de façon à pouvoir corriger, si l'on peut dire, les réponses qu'il donne aux informations qu'il reçoit. Lorsqu'on a « des fourmis dans les jambes », que la jambe s'engourdit, la paralysie sensorielle tient au fait que les impulsions de la peau, des muscles et des articulations n'atteignent pas correctement la circonvolution pariétale du cerveau. L'aller et retour de la peau au cerveau est continu, même pendant le sommeil.

J'ai souvent été frappé, comme étudiant puis professeur d'anatomie, de l'étendue des zones tactiles du cerveau, telles qu'elles sont représentées dans [les] illustrations des manuels. Il semble que personne n'en a jamais tiré de conclusions majeures. Vers le milieu des années quarante, je me suis mis à rassembler les informations portant sur le développement du comportement humain [1]. Alors seulement, me revinrent en mémoire quelques données concrètes, éparses et d'origines très diverses, qui m'ont amené à me pencher sur l'importance de la peau non seulement dans le développement des fonctions physiques, mais aussi dans celui du comportement. J'ai donné une conférence sur ce sujet à l'université de l'École médicale du Texas, à Galveston, en avril 1952. Par la suite, elle a été publiée dans le journal de l'école. Les réactions à la conférence et à l'article m'ont encouragé à persévérer dans la collecte des découvertes présentées aujourd'hui dans ce livre. Cela servira, je l'espère, à jeter quelque lumière sur un aspect du développement humain qui a été largement sous-estimé.

La question qui nous intéresse le plus, et à laquelle nous nous sommes attachés à répondre dans ce livre, est celle-ci : quelle incidence les différentes sortes de sensations cutanées, surtout celles que l'organisme reçoit au début de sa vie, ont-elles sur son développement ? En premier lieu, nous nous sommes efforcés de découvrir : 1. quelles sortes de stimulations de la peau sont nécessaires pour un développement sain de l'organisme, tant physiquement qu'au plan du comportement ? 2. quels sont les effets, s'il y en a, de la carence ou de l'insuffisance de certaines stimulations particulières de la peau ? Il s'agit de découvrir si oui ou non une catégorie donnée de sensations est nécessaire ou fondamentale à une espèce animale et à ses membres. L'un des meilleurs moyens de le savoir est de déterminer dans quelle proportion on retrouve ce type de sensations dans la classe d'animaux à laquelle les espèces étudiées appartiennent (en l'occurrence, les mammifères). Ce qui apparaît comme fondamental au niveau phylogénétique a de grandes chances d'être important aussi physiologiquement et peut-être à d'autres égards encore.

---

1. Objet d'un cours sur la socialisation à l'université d'Harvard en 1945, et publié par la suite dans mon livre *La Direction du développement humain*, New York, Harper et Bros, 1955; édition révisée, New York, Hawthorn Books, 1970.

La question précise à laquelle nous cherchons à répondre est celle-ci : est-ce que les individus de l'espèce homo sapiens doivent passer par certaines catégories de sensations tactiles au cours des premiers âges de la vie pour se développer comme des êtres humains bien portants ? Et dans l'affirmative, quelles sont ces catégories de sensations ? Pour éclairer le problème, on peut d'abord se tourner vers les observations faites sur d'autres animaux.

Les découvertes expérimentales chez les rats

Ce qui m'a amené à penser à la peau, c'est la lecture fortuite et dans une optique tout autre, en 1921-1922, d'un article de Frederick S. Hammett, anatomiste à l'Institut d'anatomie Wistar de Philadelphie. Hammett s'intéressait aux effets de l'ablation totale des glandes thyroïdes et parathyroïdes chez les rats albinos Wistar, homogènes d'un point de vue génétique. Il remarqua qu'à la suite de l'opération, certains animaux ne mouraient pas, contrairement à toute attente. Jusque-là, de nombreux chercheurs pensaient qu'une thyroparathyroïdectomie devait inévitablement conduire à une issue fatale, sans doute du fait de l'action de quelque substance toxique sur le système nerveux.

A la suite de recherches, Hammett découvrit que les rats qui avaient subi les thyroparathyroïdectomies appartenaient à deux colonies différentes. La majorité des survivants provenait de celle qu'on appelait la Colonie expérimentale. Dans ce groupe, les animaux avaient l'habitude d'être caressés, choyés. Au contraire, les animaux présentant un fort taux de mortalité appartenaient au groupe témoin, dans lequel les contacts humains se limitaient aux soins de routine : alimentation et entretien des cages par un employé du laboratoire. Ces animaux étaient timides, craintifs, nerveux. Quand on les prenait, ils étaient tendus, ils résistaient, et ils montraient le plus souvent leur peur et leur colère en mordant. « Leur profil, selon Hammett, est

16

dans l'ensemble celui d'une irritabilité aiguë et d'une tension neuromusculaire permanente. »

Le comportement des rats familiers était radicalement différent de celui des animaux du groupe témoin. Les premiers avaient été apprivoisés depuis cinq générations. Quand on les prenait, ils étaient détendus et souples, et ne s'effrayaient pas facilement. Hammett remarqua : « Ils donnent une image constante de placidité. Le seuil de réaction neuromusculaire à d'éventuels stimuli perturbants était presque trop élevé. »

En fonction de leurs relations avec les humains, il devenait évident que les rats apprivoisés se sentaient en sécurité, non seulement avec les gens qui les avaient nourris, mais avec n'importe qui. L'assistant de laboratoire les avait élevés dans des conditions où ils étaient souvent manipulés, caressés et ils réagissaient avec confiance, familiarité, et une absence totale de tension neuromusculaire et d'irritabilité. On constatait exactement le contraire chez les rats non apprivoisés, qui n'avaient reçu d'autres attentions de la part des humains que celles qui étaient nécessaires à leur alimentation et à l'entretien des cages. Ces animaux-là étaient peureux et sauvages, anxieux et tendus à l'approche des gens.

Voyons ce qui se passa dans les deux groupes des 304 animaux opérés, après l'ablation des glandes thyroïdes et parathyroïdes. Dans les 48 heures après l'opération, 77 % des rats non apprivoisés et seulement 13 % des rats domestiqués étaient morts. Soit une différence de 66 % de survivants, au bénéfice des animaux apprivoisés. Dans le cas de l'ablation des glandes parathyroïdes seulement, 76 % des rats irritables et seulement 13 % des rats calmes étaient morts dans les 48 heures, soit une différence de 63 %. Les rats du groupe témoin, placés au moment du sevrage dans la Colonie expérimentale, et apprivoisés, devinrent calmes, coopératifs, détendus et résistants aux effets de l'ablation de la glande thyroïde.

Dans une deuxième série d'expériences, Hammett étudia le taux de mortalité, après une parathyroïdectomie, chez les rats sauvages de Norvège, mis en cage depuis une ou deux générations. Comme chacun sait, le lemming de Norvège est connu pour son excitabilité. Sur un total de 102 sujets, 92 rats (soit

17

90 %) sont morts dans les 48 heures; la plupart des survivants succombant dans les 2 à 3 semaines suivant l'opération.

Hammett en conclut que la stabilité du système nerveux créée chez les rats par la domestication et l'apprivoisement les rend résistants à la perte des sécrétions parathyroïdiennes. Chez les rats non apprivoisés cette perte aboutit généralement à la mort en moins de 48 heures, du fait d'une tétanie parathyroïdique aiguë.

Par la suite, des expériences et des observations à l'Institut Wistar ont montré que plus les rats avaient été manipulés et domestiqués, mieux ils se comportaient dans les situations de laboratoire.

Il y avait là quelque chose de plus qu'un simple indice pour comprendre le rôle joué par les stimulations tactiles dans le développement de l'organisme. Avoir traité les rats avec douceur pouvait entraîner toute la différence entre la vie et la mort après l'ablation de glandes endocrines importantes. Cette découverte était assez stupéfiante. Mais ce qui était également remarquable, c'était l'incidence de la douceur sur le développement du comportement. La gentillesse produisait des animaux calmes et dociles; l'absence de soins attentionnés rendait les animaux peureux et irritables.

Il me sembla que cette découverte importante valait la peine d'être approfondie. Elle soulevait de nombreuses questions; en particulier par quels mécanismes physiologiques les caresses et l'apprivoisement pouvaient amener des différences aussi marquées dans les réactions du comportement et de l'organisme? Mises à part les observations réalisées par Hammett et ses collègues de l'Institut Wistar, il n'y avait littéralement rien de publié qui éclairât un tant soit peu ces questions. Je me suis donc mis à enquêter auprès des éleveurs, des gens qui ont vécu dans des fermes, des vétérinaires, des agronomes et du personnel des zoos : les résultats furent éclairants.

Le léchage d'amour

En lisant les études de F. S. Hammett, il m'apparut que, chez les mammifères, la toilette que la mère fait à ses petits, en les léchant au moment de la naissance, n'est pas du tout un débarbouillage, mais quelque chose de fondamentalement différent et de tout à fait indispensable. La « toilette », au sens du nettoyage, n'est pas la véritable fonction du léchage, qui sert en fait des desseins beaucoup plus profonds. On pouvait raisonnablement émettre l'hypothèse, comme les observations de Hammett le suggéraient, que des stimulations cutanées appropriées sont essentielles pour un développement harmonieux de l'organisme et du comportement. Le fait que chez les mammifères la mère lèche le nouveau-né, pendant une période assez longue, correspond probablement à une chaîne de fonctions fondamentales. C'est en effet une pratique universellement répandue parmi les mammifères, à l'exception de l'homme et peut-être des grands singes. Je me suis d'ailleurs dit que ces exceptions recouvraient probablement une histoire intéressante, comme en fait nous le verrons plus loin.

Dès le début de mes enquêtes auprès des gens ayant une longue expérience des animaux, j'ai trouvé une unanimité remarquable dans ce qu'on me racontait. En substance, ces observations signifiaient que l'animal nouveau-né devait être léché pour pouvoir survivre. Si, pour une raison quelconque, il ne pouvait pas l'être, surtout dans la région péri-anale (située entre les parties génitales externes et l'anus), il était susceptible de mourir d'une déficience de fonctionnement du système génito-urinaire et/ou du système gastro-intestinal. Les éleveurs de chiens chihuahuas insistaient particulièrement là-dessus, parce qu'à les entendre, les mères se préoccupaient peu ou pas du tout de lécher leurs petits; d'où un taux de mortalité assez élevé chez ces chiots, dû à l'impossibilité d'éliminer, à moins de leur fournir un substitut au léchage maternel, comme des caresses prodiguées par une main humaine.

A l'évidence, le système génital ne fonctionnerait tout simple-

19

ment pas, en l'absence de stimulations cutanées. Les observations les plus intéressantes sur ce point sont apparues peu après lors d'une expérience involontaire réalisée par le professeur James A. Reyniers, du laboratoire de bactériologie Lobund, de l'université de Notre-Dame. Reyniers et ses collègues voulaient élever des animaux sans germe pathogène et publièrent les résultats de leurs travaux en 1946 et 1949, en deux monographies différentes. Dans un premier temps, leurs recherches n'aboutissaient à rien, car tous les animaux cobayes mouraient d'une déficience du fonctionnement des voies génito-urinaires ou gastro-intestinales. Un jour enfin, une ex-employée de zoo apporta sa propre expérience quant à la solution du problème. Elle conseilla aux chercheurs de chatouiller, après chaque repas, la région génitale et péri-anale des jeunes animaux avec une mèche de coton, faisant ainsi uriner et déféquer l'animal. En réponse à une question, le professeur Reyniers m'écrivit :

> En ce qui concerne le problème de la constipation chez les mammifères nouveau-nés, élevés par des hommes, les observations suivantes peuvent vous être de quelque intérêt : les rats, les souris, les lapins et ceux des mammifères qui dépendent de la mère pour leur nourriture pendant les premiers jours de leur vie ont apparemment besoin qu'on leur apprenne à uriner et déféquer. Pendant la première phase de notre travail, nous ne le savions pas, et en conséquence nous perdions nos animaux. Les petits, nourris sans que les parties génito-abdominales soient stimulées, mouraient d'une occlusion de l'urètre et d'une dilatation de la vessie. Bien que pendant des années nous ayons vu les mères lécher leurs petits autour des parties génitales, je l'interprétais principalement comme une mesure d'hygiène. Cependant, après une observation plus attentive, il apparut que le petit urinait et déféquait pendant ces stimulations. Nous commençâmes donc, il y a douze ans environ, à frotter avec une mèche de coton les parties génitales des jeunes animaux après chaque tétée horaire, et ils devinrent capables d'éliminer. A partir de ce moment-là, nous n'eûmes plus d'ennuis avec ce problème.

L'observation de la fréquence avec laquelle une chatte lèche les différentes parties du corps de son petit révèle l'existence d'un programme défini. La région recevant le plus de coups de langue est la partie génitale et péri-anale. Ensuite viennent, dans l'ordre, la zone autour de la bouche, le bas-ventre et enfin le dos et les flancs. Le nombre de coups de langue paraît défini génétiquement, environ 3 à 4 par seconde. Chez les rats albinos, ce taux est de 6 ou 7 par seconde.

Rosenblatt et Lehrmann ont découvert, au cours de séances d'observation de 15 minutes, que les rates léchaient leurs nouveau-nés pendant 2 minutes et 10 secondes en moyenne dans la région anogénitale et dans la partie basse de l'abdomen, contre 25 secondes environ à l'extrémité postérieure du dos, à peu près 16 secondes dans la partie supérieure du corps et 12 secondes derrière la tête.

Schneirla, Rosenblatt et Tobach mentionnent, parmi les critères définissant un comportement maternel chez les chattes, une toilette excessive de la chatte elle-même et de son petit. Nous reviendrons plus tard sur la signification de l'autoléchage. Ces observateurs avaient calculé que les chattes passaient entre 27 et 53 % de leur temps en léchage. Aucune autre activité ne prenait autant de temps à ces animaux.

Rheinghold, d'après ses observations sur un cocker épagneul, un chien briquet et trois chiens bergers des îles Shetland, a établi que le léchage commençait le jour de la naissance et se maintenait rarement au-delà du 42e jour. La région péri-anale était la zone la plus fréquemment léchée.

Si on se tourne vers l'ordre des mammifères auquel l'homme appartient, les primates, Phyllis Jay rapporte que chez les singes langurs indiens, observés en liberté, la mère lèche ses petits dès leur naissance. Il en va de même chez les babouins dans leur milieu naturel : « A chaque instant, elle explore le corps du bébé, peigne la fourrure avec ses doigts, fourre son nez dedans, et le lèche. »

Il est assez curieux que je n'aie pu trouver aucune information précisant si les grands singes léchaient leurs petits. Il est possible que les grands singes — orangs-outangs chimpanzés, et gorilles — partagent avec l'homme la caractéristique unique, chez les primates et les mammifères en général, d'être les seuls à ne pas lécher leurs petits. Quoi qu'il en soit, l'omniprésence du léchage chez les mammifères témoigne de sa nature fondamentale.

Beaucoup de mammifères s'adonnent à l'autoléchage hors des périodes de grossesse et d'accouchement. Tout en ayant pour but de maintenir propre l'animal, cette pratique est sans doute plus précisément destinée à entretenir une stimulation adéquate des différents systèmes vitaux du corps — les systèmes gastro-intestinal, génito-urinaire, respiratoire, circulatoire, digestif, nerveux, endocrinien, et le système de reproduction. Les carences de développement qui découlent de toute restriction importante de l'autoléchage sont peut-être la meilleure illustration de son importance dans l'organisme. L'autoléchage de la région génito-abdominale est l'un des traits de comportement caractéristiques aussi bien des chattes que des rates en état de gestation. Il s'intensifie au fur et à mesure du déroulement de la gestation. On peut avancer qu'il joue un rôle important : il sert à stimuler et à améliorer les réponses fonctionnelles des systèmes d'organes mis en jeu pendant la gestation au cours du travail, de la délivrance et de l'accouchement. On sait que la tétée, par l'enfant ou le petit animal, et toutes les stimulations des parties génito-abdominales du corps servent à entretenir la lactation et à provoquer, après une naissance, le développement des glandes mammaires. Néanmoins, rien ne prouvait que les stimulations sensorielles contribuaient à développer les glandes mammaires durant la gestation. Les docteurs Lorraine L. Roth et Jay S. Rosenblatt ont réalisé des recherches expérimentales en ce domaine. Lors d'expériences ingénieuses, ces chercheurs ont mis autour du cou de rates gravides des colliers qui les empêchaient de se lécher. On s'est alors aperçu que les glandes mammaires des rates qui portaient un collier étaient moins développées (d'environ 50 %).

Mais les colliers en eux-mêmes provoquaient vraisemblablement des contraintes. C'est pourquoi on a soumis d'autres femelles pleines à des entraves, mais sans collier. Et on a mis à un troisième groupe de femelles des colliers extensibles qui leur permettaient de se lécher. Dans le groupe des animaux dotés de colliers, le développement des glandes mammaires s'est trouvé réduit considérablement plus que dans aucun des autres groupes, y compris celui des animaux libres de tout collier.

Birch et ses collaborateurs ont posé à des rates un petit collier qui les empêchait de se lécher les zones érogènes de l'abdomen et du postérieur. Alors même que les colliers avaient été enlevés définitivement pour l'accouchement et par la suite, ces femelles ont fait de bien piètres mères. Elles ne savaient pas construire de nids bien faits; elles transportaient bien les matériaux, mais éparpillaient les brindilles alentour. En aucun cas elles ne nourrissaient leurs petits et, qui plus est, elles semblaient troublées et avaient même tendance à se sauver lorsqu'il arrivait que le nouveau-né les touche. Les petits mouraient invariablement, à moins d'une intervention artificielle de l'expérimentateur. Ainsi, l'autostimulation de son corps représente pour la femelle une préparation normale à son comportement maternel. Lorsqu'elle en est privée, il semble qu'elle soit aussi dépourvue des instincts qui, habituellement, favorisent la sécrétion de la salive, la lactation après la naissance et les autres activités de la période des soins maternels.

Au vu de telles expériences, il est clair que l'autostimulation cutanée du corps de la mère est un facteur important de l'élaboration d'un fonctionnement optimal des systèmes vitaux, que ce soit avant, pendant ou après la grossesse. Une question se pose immédiatement : le même phénomène ne se produirait-il pas chez la femme, pendant les mêmes périodes? *A priori* la réponse est affirmative.

C'est l'évidence — même chez les mammifères en général — que la stimulation cutanée est importante à tous les stades du développement, mais plus encore pendant les premiers jours de la vie du nouveau-né, au cours de la grossesse, du travail, de l'accouchement, et aussi lors de la période d'allaitement. En fait, plus nous découvrons les effets de la stimulation cutanée, plus nous prenons conscience de son rôle profondément déterminant pour un développement harmonieux. Par exemple, on a établi que, chez l'enfant, la stimulation cutanée précoce exerce une influence tout à fait bénéfique sur le système immunologique, en ayant des conséquences importantes sur la résistance aux infections et autres maladies. Cette même étude signale que les rats ayant été manipulés très petits présentent un taux de sérum anticorps plus fort que les rats n'ayant pas subi cette manipulation. Et ce, dans tous les cas, aussi bien après l'immunisation primaire qu'après l'immunisation secondaire. La faculté de réponse immunologique de l'adulte apparaît donc sensiblement modifiée par une expérience sensorielle de la peau plus ou moins précoce. Cette capacité immunologique serait due d'une part au mécanisme de transport des hormones et des substances affectant le thymus, glande dont le rôle est crucial dans l'élaboration de la fonction immunologique, et d'autre part à l'intervention d'une partie du cerveau, l'hypothalamus.

En fait, les sujets ayant reçu des stimulations cutanées précoces présentent une résistance remarquable aux maladies. Mais le phénomène est peut-être amplifié par le fait que la stimulation de la peau induit parallèlement beaucoup d'autres effets positifs, jouant indéniablement un rôle dans l'accroissement de résistance de l'organisme ainsi stimulé. Nombre de chercheurs l'ont confirmé : manier doucement des rats ou d'autres animaux, les prendre à la main dès les premiers jours, accroît de beaucoup leur poids et leur dynamisme, facilite leur résistance au stress et aux troubles physiologiques et diminue leur peur.

Chez les moutons, l'aide de la mère n'est pas indispensable pour que l'agneau nouveau-né trouve les mamelles, et tète la première fois. Néanmoins, le processus se trouve facilité si l'agneau est léché et si la brebis le guide et le dirige. Alexander et Williams ont trouvé, par expériences successives, que c'était la combinaison des deux actions, lécher et guider les petits — c'est-à-dire, la position de la brebis devant eux — qui facilitait un apprentissage réussi de la tétée. Mais pris séparément, ni lécher ni guider, tout ce que les chercheurs ont regroupé ultérieurement sous le terme de « materner », n'intervenait vraiment pour aider l'agneau à trouver les mamelles. En tout cas, ces soins maternels aboutissent à une énergie dédoublée dans la recherche des mamelles, ainsi qu'à une tendance à prendre du poids plus tôt que chez les agneaux non léchés.

De nombreux chercheurs ont démontré l'importance des stimulations cutanées mutuelles et du contact physique entre la mère et l'enfant chez les oiseaux comme chez les mammifères. Blauvelt a signalé, que chez les chèvres, si on enlève le petit à sa mère, ne serait-ce que quelques heures, avant qu'elle n'ait eu le temps de le lécher, pour le lui rendre ensuite, « elle marque un total désintérêt à son égard, et semble montrer par son comportement qu'elle ne peut plus rien pour lui ». Liddell a fait la même constatation chez les moutons, et il n'est pas sans intérêt que Maïer ait observé et vérifié le même phénomène chez les poules et leurs poussins. Maïer a découvert que le réflexe de couvée chez les poules disparaissait rapidement lorsqu'on empêchait tout contact physique entre la poule couveuse et ses petits, même si on maintenait tous les autres rapports visuels en les plaçant dans des cages mitoyennes. Mieux encore, Maïer a confirmé que les poules maintenues en contact étroit avec leurs poussins sans pouvoir les quitter restaient pondeuses plus longtemps que celles qui étaient libres de se séparer de leur couvée à tout moment.

Le contact physique semble donc intervenir comme le régulateur principal de l'instinct maternel. A première vue, la stimulation de la peau constitue une condition essentielle de la sécrétion de prolactine par l'hypophyse. La prolactine est l'hormone la plus importante pour le déclenchement et le déroulement du processus de maternité chez les mammifères, y compris chez les humains.

Collias a exposé que chez les chèvres et les moutons, la mère identifie sa progéniture par le toucher immédiatement après la naissance, et repousse violemment par la suite tout autre jeune animal qui tenterait de se glisser parmi les siens. Les travaux de nombreux chercheurs confirment qu'il existe des comportements spécifiques aux espèces selon les sensations particulières reçues lors des périodes critiques de la vie de l'animal. On a établi que des changements dans l'environnement naturel lors de ces périodes clefs aboutissaient souvent à développer des comportements a-normaux et a-typiques pour l'espèce. Herscher, Moore et Richmond ont fait l'expérience, sur 24 chèvres, de séparer les mères de leurs petits dans les 5 à 10 minutes suivant la naissance, pendant un laps de temps d'une demi-heure à une heure. Deux mois plus tard, ils se sont aperçus que ces mères nourrissaient moins leur propre portée, et plus les autres petits, à l'inverse des mères qui n'en avaient pas été séparées. Dans ce dernier groupe, l'expérience a eu un résultat inattendu et des plus intéressants : l'apparition d'un comportement de rejet. Parmi les mères restées en contact avec leurs petits, certaines ne nourrissaient plus ni leur propre portée ni les autres. Apparemment, chez ces animaux dont l'instinct grégaire est très fort, la séparation avait influencé le fonctionnement du troupeau dans son ensemble : « Elle modifie le comportement des animaux témoins dont la vie, antérieurement aux expériences de séparation, n'avait volontairement pas été perturbée, mais dont l'environnement était indirectement affecté par les comportements maternels et filiaux introduits dans le groupe par les sujets de l'expérience. »

Chez les chiens bergers domestiques, McKinney a indiqué que séparer les nouveau-nés de la mère immédiatement après la naissance et pendant un peu plus d'une heure retarde considérablement le rétablissement de la mère. Ce rétablissement est par contre favorisé par les moments passés à bichonner, pouponner, allaiter le petit. McKinney fait remarquer que des effets tout aussi indésirables se rencontrent parfois chez les jeunes femmes, à cause de cette habitude de leur retirer leur bébé à la naissance, interrompant ainsi la continuité du contact dont l'enfant qui vient de naître a un besoin si pressant.

Pour les singes rhésus, Harry F. Harlow et ses collaborateurs ont montré que le lien physique à la mère est la donnée première de l'attachement de la mère à l'enfant et de l'enfant à la mère. L'affection maternelle, disent-ils, est à son apogée dans la relation corps à corps de la mère et l'enfant, et semble décliner à mesure que les échanges corporels s'amenuisent.

Ces auteurs définissent l'affection maternelle comme la résultante de nombreux facteurs, notamment : les stimulations et excitations externes, divers éléments de l'expérience sensorielle et un certain nombre de facteurs endocriniens. Les stimuli externes sont ceux qui s'adressent à l'enfant et comprennent un contact étroit de tout le corps, les sensations de chaleur, la tétée et les perceptions visuelles et auditives. Les facteurs de la sensibilité dans le comportement de la mère englobent sans doute toute son histoire vécue. Il est probable que les sensations de sa propre enfance sont d'une importance primordiale, de même que sa relation à chacun des enfants qu'elle a portés et l'expérience acquise antérieurement en élevant d'autres nourrissons. Les facteurs endocriniens interviennent à la fois lors de la grossesse, de l'accouchement et du retour à un cycle ovulaire normal.

De fait, les premières sensations de la mère sont d'une importance considérable dans le développement ultérieur de ses enfants jusque dans leur âge adulte. Les docteurs Victor Denenberg et Arthur E. Whimbey ont démontré par des expériences sophistiquées que la progéniture de rats manipulés, lorsqu'elle restait en contact avec une mère naturelle ou nourricière, accusait un poids plus élevé au sevrage que les petits élevés par des mères qui n'avaient pas été manipulées dans leur enfance. Les petits manipulés depuis deux générations déféquaient plus et se montraient singulièrement moins nerveux que les petits des rats non domestiqués.

Ader et Conklin ont découvert que caresser des rates pendant leur grossesse rendait les petits manifestement moins irritables, qu'ils restent avec leur mère naturelle ou soient nourris par une autre femelle.

Werboff et ses collègues ont pu avancer que manipuler des souris pleines pendant la période de gestation augmentait le nombre de fœtus viables à la conception, et de survivants après la naissance. Les souris de ces portées avaient à la naissance un poids inférieur à la moyenne, sans doute parce qu'elles étaient plus nombreuses.

Sayler et Salmon ont élevé des petites souris en commun, dans un nid où se mêlaient les portées de différentes femelles. Ils ont alors constaté un taux de croissance plus rapide pendant les 20 premiers jours que dans les portées des femelles isolées, alors qu'il y avait le même nombre de petits par mère. Les chercheurs pensaient que cette différence de poids était liée aux bienfaits d'un allaitement collectif produisant un lait plus abondant et de meilleure qualité alimentaire qu'une mère à elle seule ne peut le faire. Ils supposaient aussi que la présence d'un plus grand nombre de congénères dans le même nid intervenait comme stimulus tactile et thermique, protégeait les nouveau-nés et leur permettait de consacrer à la croissance toute leur énergie métabolique.

Weininger a signalé que des rats sevrés à 23 jours, puis manipulés pendant 3 semaines, présentaient au 44e jour 20 grammes de plus en moyenne que ceux du groupe test dont on ne s'était pas occupé. Mieux encore, la croissance des sujets manipulés était plus rapide que celle des autres. Lors d'une expérience *in vivo*, les rats manipulés s'aventuraient très près du centre brillamment éclairé d'un territoire, et montraient par là une tendance très nette à délaisser les comportements habituels de leur espèce, à savoir raser les murs et éviter la lumière. Les températures rectales de ces animaux étaient en général plus élevées, ce qui laissait supposer une modification du métabolisme de ces animaux.

Les rats manipulés subissent moins de perturbations des systèmes cardiovasculaire et gastro-intestinal que les autres lorsqu'on les autopsie après les avoir soumis à des épreuves (immobilisation et privation de nourriture et d'eau pendant 48 heures).

Les lésions cardiovasculaires et d'autres troubles organiques après des stress prolongés peuvent être attribués, comme Hans Selye et d'autres l'ont mille fois observé, à l'action de l'hormone adrénocorticotrope (ACTH). C'est cette hormone, sécrétée par l'hypophyse, qui agit sur le cortex des glandes surrénales pour libérer la cortisone. On appelle parfois cette chaîne d'interactions l'axe hypophysosurrénalien. Weininger émet l'hypothèse que l'immunité partielle des rats manipulés aux perturbations causées par un stress tient probablement à une moindre sécrétion d'ACTH par l'hypophyse que chez les rats non manipulés, confrontés à la même situation. Si tel était le cas, l'autopsie comparée des glandes surrénales des rats manipulés ou non, après une épreuve, devrait révéler que celles des rats non manipulés sont plus lourdes que celles des rats manipulés, parce qu'activées par une sécrétion d'ACTH plus forte. Ce qui, à l'examen, s'est révélé exact. « On peut expliquer les résultats mentionnés ci-dessus par une modification majeure du fonctionnement de l'hypothalamus, amenant la réduction, voire la suppression, de décharge sympathique massive en réponse à un stimulus d'alerte (et par là même, une moindre sécrétion d'ACTH par l'hypophyse). »

Le phénomène est bien plus compliqué en fait, mais réduit à sa plus simple expression, la relation entre les sécrétions hypophysaires et surrénaliennes se vérifie toujours et atteste des effets profonds des expériences sensorielles précoces qui ont été magistralement démontrés par des quantités d'expériences.

Tous les jeunes mammifères se pelotonnent et se blottissent contre le corps de leur mère, de leurs compagnons ou de n'importe quel autre animal familier. Cette habitude permet de supposer que les stimulations cutanées sont pour eux un besoin biologique important, tant pour le développement de leur corps que pour celui de leur comportement. Presque tous les animaux aiment qu'on les caresse, qu'on stimule leur peau agréablement d'une manière ou d'une autre. Les chiens semblent être insatiables dans leur appétit de caresses, les chats en réclament tant et plus et ronronnent, de même que d'innombrables animaux sauvages et domestiques apprécient visiblement les caresses au moins autant que l'autoléchage.

Dans la traite du lait, il est bien connu que les vaches traites à la main donnent finalement un lait plus abondant et plus riche que les vaches traites à la machine. Hendrix, Van Valck et Mitchell ont raconté que des chevaux, habitués à l'homme tout de suite après la naissance, faisaient preuve à l'âge adulte d'un comportement peu commun. Entre autres traits de caractère, ils se montraient responsables en cas de danger, dociles et coopératifs en temps normal et pleins d'imagination pour communiquer avec l'homme dans les situations d'urgence.

Les dauphins aussi aiment à être gentiment caressés, comme j'ai pu m'en rendre compte par mes observations personnelles. A l'Institut des communications de Miami, j'ai eu le plaisir de me faire un ami en quelques minutes en la personne de Elvar, un dauphin mâle adulte, qui occupait seul un petit bassin. Parce qu'Elvar avait l'habitude de les asperger, les visiteurs s'équipaient généralement de cirés. Il adaptait toujours ses éclaboussures à la taille du visiteur. Les enfants recevaient des éclaboussures légères, les moyens des jets d'eau déjà plus gros, les adultes de grosses gerbes d'eau. Pour on ne sait quelle raison, je ne reçus pas d'eau du tout. Le docteur John Little, le directeur, fit remarquer que cela n'était jamais arrivé auparavant. En m'approchant d'Elvar avec toute l'affection, l'intérêt et le respect qu'il méritait, je parvins à lui caresser le sommet de la tête. C'était tout à fait de son goût. Pendant le reste de la visite, Elvar s'évertua à me présenter toutes les parties de son corps à caresser, se penchant même par-dessus les garde-fous pour me permettre de l'atteindre sous les nageoires, ce qu'il semblait apprécier particulièrement.

Les docteurs A. F. McBride et H. Kritzler du laboratoire marin de Duke University à Beaufort, en Caroline du Nord, ont observé qu'une femelle dauphin de deux ans « était si friande de caresses, que souvent elle sortait de l'eau à reculons en faisant bien attention pour se frotter le menton sur les poings fermés des visiteurs ». Les mêmes chercheurs se sont aperçus que « les dauphins aiment beaucoup se frotter à divers objets. C'est pourquoi on avait installé dans les bassins une brosse à dos, faite de trois balais brosse solidement fixés à une dalle du rocher, avec les poils dirigés vers le haut. Les jeunes dauphins se mirent à se frotter sur ces brosses, dès que les adultes en eurent compris l'usage ».

Pour le nouveau-né ou l'enfant, toutes les formes de stimulations cutanées qu'il reçoit sont de la plus grande importance pour le développement harmonieux de son corps et de son comportement. C'est ce qui ressort des observations et expériences rapportées ici, et de toutes celles dont nous parlerons dans les pages suivantes. Pour l'espèce humaine, les stimulations tactiles ont probablement des effets essentiels quant au développement d'un mode satisfaisant de relations affectives et émotionnelles. Le « léchage », au sens propre comme au figuré, et l'amour sont étroitement liés. En un mot, on n'apprend pas à aimer dans les livres, mais en étant aimé. Comme le dit le professeur Harry Harlow : « L'attachement intime de l'enfant à la mère est la source même de nombreuses réponses affectives apprises, puis généralisées. »

Dans une série d'études riches d'enseignements, Harlow a démontré l'importance du contact physique entre la mère et l'enfant chez les singes, pour le développement harmonieux du petit. Il a remarqué que les bébés singes élevés en laboratoire montraient un attachement très fort au coussin molletonné (en couches de gaze ouatée) utilisé pour tapisser les sols et les parois des cages en grillage. Lorsqu'on essayait d'enlever ces coussins, ou de les changer pour des raisons d'hygiène, les petits s'y accrochaient et entraient dans « de violents accès de colère ». On a aussi découvert que les jeunes singes maintenus les 5 premiers jours de leur existence dans des cages métalliques au sol nu survivaient difficilement, voire pas du tout. Lorsqu'on y plaçait un objet conique en métal, les petits allaient mieux. Et quand on le couvrait d'un tissu moelleux, les bébés se développaient bien, sains et forts. A partir de là, Harlow eut l'idée de concevoir un substitut maternel en lainage, avec une ampoule au fond qui dégageait de la chaleur. La mère qu'il obtint ainsi était « douce, chaude et tendre, une mère d'une patience infinie, disponible 24 heures sur 24, une mère qui ne criait jamais, ne brusquait pas son bébé, pas plus qu'elle ne le battait ni ne le mordait de colère ».

Harlow a construit ensuite un second substitut maternel, entièrement en grillage nu, sans le recouvrir d'une « peau » de tissu, et dont le contact manquait donc de chaleur et de douceur au toucher. Il raconte lui-même la fin de l'histoire :

Notre expérience initiale mettait en jeu les deux substituts maternels, le substitut en grillage et l'autre en tissu. Nous les avions placés dans des cases différentes communiquant avec la cage où vivait le bébé singe... Les singes nouveau-nés étaient séparés en deux groupes de quatre. Pour le premier groupe, le substitut maternel en tissu assurait l'allaitement et le substitut métallique ne faisait rien. Inversement, pour le second groupe, le substitut métallique assurait seul l'allaitement. Dans les deux cas, le petit se nourrissait lui-même et entièrement du lait maternel dès qu'il en était capable. Cela prenait en général 2 ou 3 jours, sauf dans le cas d'animaux très immatures. Jusque-là les sujets de l'expérience recevaient une alimentation complémentaire avant que le lait fourni par le substitut maternel leur convienne. L'expérience était destinée à tester l'importance relative des variations du bien-être par le contact et du bien-

31

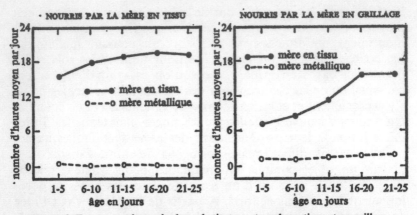

Figure 3. Temps passé auprès des substituts maternels en tissu et en grillage (extrait de H. H. Harlow et R. R. Zimmermann, *Le Développement des réponses affectives chez les bébés singes*, Société américaine de philosophie, Annales, 102, p. 501-509, 1958, par autorisation spéciale).

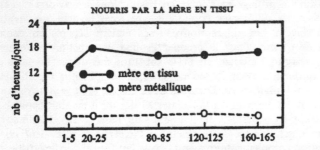

Figure 4. Durée des contacts avec les substituts maternels en tissu et en grillage, sur une longue période (extrait de H. H. Harlow et R. R. Zimmermann, *op. cit.*).

être par l'allaitement. Durant les 14 premiers jours de leur vie, les singes vivaient dans des cages dont le sol était recouvert d'un coussin chauffant enveloppé dans de la gaze pliée; ensuite, on enlevait ce revêtement et le sol de la cage restait à nu. Les jeunes animaux avaient en permanence la possibilité de s'éloigner du coussin chauffant ou du plancher de la cage pour aller vers le substitut maternel. Le temps passé auprès de ces substituts était enregistré automatiquement. La figure 3 représente le temps total passé auprès des substituts maternels en métal et en tissu selon les deux modes d'alimentation différents. Les résultats mettent en évidence l'importance tout à fait déterminante du bien-être par le contact physique dans le développement des réponses affectives, et réduisent l'allaitement à une variable du comportement très négligeable. En grandissant, et en développant leur autonomie, les animaux allaités par le substitut maternel métallique s'adressaient de moins en moins à lui et se tournaient de plus en plus vers le substitut maternel en tissu qui n'avait pourtant pas assuré l'allaitement. Cette découverte va à l'encontre de toutes les interprétations qui réduisent la fonction maternelle à sa dimension alimentaire. La figure 4 illustre bien la permanence de ces attitudes sélectives sur les 165 jours consécutifs de l'expérience. Nous n'avons pas été surpris de découvrir que le contact physique agréable était une donnée de base importante de l'affectivité et de l'amour. Mais nous ne nous attendions pas qu'il occulte autant la fonction de la tétée. En fait, une différence aussi importante fait penser que la première fonction affective de la tétée est d'assurer un contact fréquent et intime entre les corps de l'enfant et de la mère. Certes, l'homme ne vit pas seulement de lait. L'amour est un sentiment qu'on n'a pas besoin d'ingurgiter au biberon ou à la cuiller, et on peut être sûr qu'il n'y a rien à gagner à donner l'amour sous forme de vitamines.

En fin de compte, Harlow conclut :

Nous savons maintenant que les femmes des classes laborieuses n'ont pas besoin de rester chez elles pour remplir leur rôle primordial de nourrices, et il se peut même que, dans un futur proche, l'allaitement postnatal ne soit plus considéré comme une nécessité, mais comme un luxe — pour employer les termes de Veblen — réservé peut-être aux classes supérieures.

Comme nous le verrons plus loin, Harlow a fortement sous-estimé l'importance de l'allaitement à la fois chez les animaux et chez les hommes. Mais cela n'entame pas pour autant la crédibilité de ses conclusions sur la valeur des contacts corporels entre la mère et l'enfant. Comme Harlow et ses collègues l'ont observé dans le couple normal de l'allaitement (mère-enfant) chez les singes rhésus, les contacts physiques par le sein, qu'ils soient alimentaires ou non, durent 3 mois. Ce contact du sein joue sans aucun doute un rôle important dans le développement de l'individu.

Harlow et ses collaborateurs firent une découverte étonnante, lorsqu'ils retracèrent l'histoire des cinq guenons qui n'avaient pas assumé leur rôle maternel. Ils constatèrent alors qu'aucune d'elles n'avait eu l'occasion de développer une relation normale de mère à enfant, ni d'enfant à enfant; aucune n'avait eu de mère à elle. En conséquence leurs contacts physiques avec d'autres singes étaient restés très limités. Deux de ces mères s'étaient montrées complètement indifférentes à leurs enfants, les trois autres violentes et abusives.

> L'absence de contacts corporels normaux et satisfaisants pendant l'enfance peut empêcher la femelle à l'âge adulte de développer une relation physique normale avec son propre enfant. De même, la brutalité maternelle provient peut-être d'une expérience sociale insatisfaisante avec d'autres enfants avant l'âge d'un an.

Mieux encore, ces chercheurs se sont aperçus qu'aucune des mères, elles-mêmes orphelines de mère, ne développait un comportement sexuel de femelle normal, comme par exemple se mettre en position et réagir. Elles étaient mères malgré elles. Comme nous le verrons plus tard, on a pu établir chez l'humain le parallèle avec ces comportements aussi étroitement liés entre eux, et leur signification est pratiquement la même que chez le singe.

Harlow et son équipe soulignent « le conditionnement social extrêmement puissant observé au royaume des singes », désignant ainsi le toilettage. Les soins envers les petits ne cessent de s'intensifier au cours des 30 premiers jours qui suivent la naissance du jeune animal. Et selon eux, cela représente peut-être un approfondissement du lien psychologique spécifique entre la mère et l'enfant.

Phyllis Jay raconte que chez les singes langur, la mère...

> ... dès l'instant de la naissance, examine le petit, le lèche, le toilette et le tripote en tous sens. Pendant que le nouveau-né tète paisiblement, ou dort, elle le lave et le caresse doucement sans le déranger ni le réveiller. Au cours de la première semaine de sa vie, le bébé singe n'est jamais bien loin de sa mère ou d'une autre femelle adulte.

La communication tactile joue un rôle majeur dans la vie des primates. En tant qu'ordre animal, les primates sont des animaux de contact, comme l'a remarqué Harlow. Les mères portent leurs petits sur le dos pendant longtemps. Les étreintes, les jeux à califourchon et les contacts avec les autres membres du groupe sont très fréquents. Les jeunes animaux et souvent les adultes aussi s'assoient en rond, et quelquefois dorment ensemble en contact étroit. Il y a beaucoup d'occasions de contact tactile, et d'une façon encore plus caractéristique pour les singes, beaucoup de soins mutuels. Les primates s'épouillent et se toilettent les uns les autres. Ces attentions ne servent pas seulement à débarrasser le corps des parasites, de la saleté, etc., mais constituent, selon l'expression de Allison Joly, « le ciment social des primates, depuis le lémur jusqu'au chimpanzé ». Anthoney a décrit la progression des soins du corps chez le babouin à tête de chien, le papio cynecophalus, qui va du bébé tétant au sein jusqu'au toilettage adulte en passant par cette façon très particulière de sucer la fourrure. Le plaisir mutuel trouvé dans cette relation est très probablement à rapprocher du plaisir ultérieur à bichonner et à être bichonné.

Outre les soins du corps, les primates pratiquent un large éventail d'autres comportements « de contact », par exemple se palper et se renifler surtout lorsqu'ils se congratulent. Les chimpanzés vont se tâter mutuellement les mains, le visage, le museau et autres parties du corps, mais en outre ils poseront la main sur le dos de l'autre en signe de réconfort, l'embrasseront pour témoigner leur affection et ils aiment tant être chatouillés, qu'ils guideront sa main jusqu'à leur corps.

Le toilettage se pratique couramment avec les mains chez tous les singes petits et supérieurs, ou avec les dents (les lémur en particulier ont des dents spécialement adaptées à carder la fourrure parce que disposées en dents de peigne). Il y a là une catégorisation intéressante. Car cette forme de toilettage avec les dents représente vraiment une forme de léchage, comme Joly l'a souligné. On peut étendre cette interprétation de la toilette à toutes les formes d'épouillage à la main et finalement aux caresses chez les humains. En bref, il se peut bien qu'il y ait eu une évolution progressive commençant par le léchage, continuant par le peignage de la fourrure avec les dents (comme chez les lémur), pour arriver à l'épouillage avec les doigts, et enfin aux attouchements et aux caresses de l'homo sapiens. Donc, les caresses de la main sont pour le bébé de l'espèce humaine une catégorie de sensations pratiquement aussi importantes que le léchage pour les autres mammifères. C'est un sujet que nous aborderons plus loin. D'ores et déjà, il semble évident que le léchage, ou ses équivalents sous d'autres formes de plaisirs tactiles, est l'un des facteurs qui concourt à la formation de l'aptitude à aimer.

CHAPITRE II

La matrice du temps

Il y a dans la matrice du temps
bien des événements dont il va accoucher [1].

Comme nous l'avons vu au chapitre précédent, lécher les jeunes animaux, les peigner avec les dents ou faire leur toilette semble être indispensable à leur survie. Ces stimulations semblent également nécessaires à un développement normal de leur comportement. On peut alors se demander pourquoi, chez les humains, les mères ne lèchent jamais leurs enfants, pas plus qu'elles ne leur prodiguent des soins avec la bouche, ni ne les épouillent?

Les femmes ne font rien de tout cela. Des études détaillées, portant sur plusieurs années, ont révélé qu'il existe seulement deux sociétés dans lesquelles les mères lavent parfois leurs enfants en les léchant. Dans des régions où l'eau est rare, comme chez les Esquimaux du pôle Nord, ou dans les hauts plateaux du Tibet, les mères en arrivent parfois à lécher leurs jeunes enfants, surtout les aînés, au lieu de les laver avec de l'eau de source. Le fait est que les mères, chez les humains, comme chez les grands singes, ne lèchent pas leur progéniture.

La question à laquelle nous devons répondre ici est de savoir quels sont, s'il en existe, les équivalents du léchage auxquels, chez les humains, la mère a recours pour préparer les systèmes vitaux de l'enfant à un fonctionnement adéquat.

Je suggère que l'un des substituts du léchage est cette longue phase de travail effectuée par la femme qui accouche. Pour le

1. *Othello*, acte I, scène III.

premier enfant, la durée moyenne du travail est de 14 heures. Pour les naissances suivantes, elle est de 8 heures. Durant cette phase, les contractions de l'utérus sont autant de stimulations pour la peau du fœtus. Les contractions utérines ont à peu près la même fonction et aboutissent aux mêmes effets que le léchage du nouveau-né chez les autres animaux. Dans la matrice, le fœtus a été stimulé en permanence par les pressions croissantes de son propre corps contre les parois utérines et par le liquide amniotique. Pendant la phase de travail ces pressions s'intensifient beaucoup, afin de préparer les systèmes vitaux à leur fonctionnement postnatal. Ce fonctionnement sera en effet sensiblement différent de celui qui était adapté à l'environnement aquatique dans lequel le fœtus a vécu jusque-là. L'intensification des stimulations cutanées est particulièrement nécessaire au fœtus humain car, contrairement à ce que l'on pense en général, la période de gestation ne prend pas fin à la naissance, elle n'est encore qu'à moitié achevée. Il sera nécessaire que nous examinions ce point ultérieurement, afin d'avoir des données plus exactes sur les conditions précaires qui entourent la naissance d'un bébé, et de comprendre pourquoi le nouveau-né doit recevoir certaines sortes de stimulations cutanées.

La signification de l'immaturité à la naissance et dans le premier âge chez l'être humain

Pourquoi les humains naissent-ils dans un état d'immaturité tel qu'il faut entre 8 et 10 mois pour qu'un bébé puisse seulement ramper, et encore 4 à 6 mois supplémentaires avant qu'il soit en mesure de marcher et de parler ? Un bon nombre d'années devront s'écouler avant que le petit homme cesse de dépendre des autres pour sa survie. Tout cela constitue des preuves du fait que l'homme naît inachevé et le reste plus longtemps que n'importe quel autre animal.

L'éléphant ou le daim sont capables de courir avec la horde peu de temps après leur naissance. A l'âge de 6 semaines, le bébé phoque a appris de sa mère à se déplacer seul dans son monde aquatique. Ces animaux ont tous de longues périodes de gestation. Probablement parce que les espèces qui donnent naissance à de petites portées sont incapables de les protéger aussi efficacement que les animaux prédateurs, et doivent donc mettre bas leurs nouveau-nés dans un état de maturité assez complet, qu'autorise une longue période de gestation.

L'éléphant, dont la période de gestation s'étend entre 515 et 670 jours, donne naissance à un seul petit. Pour des animaux comme le daim, qui ont des portées de deux ou trois petits, la gestation dure 230 jours. Chez les phoques, qui ont un seul bébé par naissance, la période de gestation varie entre 245 et 350 jours. Les animaux prédateurs, au contraire, savent protéger leurs petits très efficacement et ont une courte période de gestation. A la naissance, il arrive que leurs portées soient de trois animaux ou plus. Les nouveau-nés peuvent être de petite taille, et naître dans un état plutôt immaturé. La lionne, par exemple, a en général des portées de trois lionceaux, et une période de gestation de 105 jours. Chez les humains, la période de gestation, de 266 jours et demi, appartient sans équivoque à la catégorie des gestations longues. S'il en est ainsi, comment peut-on expliquer l'état extrêmement inachevé de l'homme à la naissance? C'est une question un peu différente de celle qui se rapporte au sous-développement prolongé du bébé de l'espèce humaine.

Les singes aussi naissent alors que leur développement est inachevé, mais ils restent dans cet état beaucoup moins longtemps que le petit d'homme. La durée moyenne de la gestation du gorille est d'environ 252 jours, celle de l'orang-outang 273 jours et celle du chimpanzé 231. La phase de travail chez les singes ne dure pas plus de 2 heures, ce qui contraste fortement avec la moyenne des 14 heures nécessaires à la femme pour une première naissance, et de 8 heures pour les suivantes. Comme l'homme, les singes sont unipares, c'est-à-dire que, normalement, ils ne conçoivent et ne portent à terme qu'un seul enfant. Mais, comparé à celui de l'homme, le développement du petit singe est nettement plus rapide. Le singe n'a besoin que du tiers ou des deux tiers du temps nécessaire à un bébé pour développer des aptitudes telles que lever la tête, se retourner, ramper à quatre pattes, s'asseoir tout seul, se tenir debout et marcher. Les guenons s'occupent tendrement de leur enfant pendant plusieurs années, et il n'est pas rare que l'allaitement dure 3 ans ou plus. On peut donc considérer l'immaturité de la petite enfance chez l'homme comme le prolongement de l'immaturité fondamentale du nouveau-né, caractéristique de tous les anthropoïdes, c'est-à-dire caractéristique des grands singes et probablement des formes primitives de l'homme. Chez les anthropoïdes, soigner le petit, le nourrir, le protéger, incombe aux femelles exclusivement. C'est seulement lorsque femelle et petits sont en danger que les mâles interviennent pour les protéger.

Alors que la longueur de la période de gestation est du même ordre chez les anthropoïdes et chez l'homme (voir tableau I), il y a une nette différence entre les deux groupes pour la croissance du fœtus. Cela se voit à l'accélération du taux de croissance du fœtus humain, comparé à celui du fœtus anthropoïde, vers la fin de la période de gestation. C'est encore plus évident en ce qui concerne la croissance du cerveau. Le cerveau du fœtus humain, au moment de la naissance, a acquis un volume de 375 à 450 cm^3. Le poids total du corps du nourrisson chez l'homme tourne autour de 7 livres (3 150 grammes). Chez le chimpanzé,

TABLEAU

DURÉE DE LA GESTATION, DES PÉRIODES DE CROISSANCE POSTNATALE ET ESPÉRANCE DE VIE CHEZ LE SINGE ET CHEZ L'HOMME

Espèces	Gestation (jours)	Puberté (années)	Sorties des 1res et des dernières dents définitives (années)	Achèvement de la croissance (années)	Espérance de vie (années)
Gibbon	210	8,5	? - 8,5	9	30
Orang-Outang	273	?	3,0 - 9,8	11	30
Chimpanzé	231	8,8	2,9 - 10,2	11	35
Gorille	252	9,0	3,0 - 10,5	11	35
Homme	266,5	13,5	6,2 - 20,5	20	75

le poids total du petit qui vient de naître est en moyenne 4,33 livres (1 800 grammes) et le volume du cerveau est d'environ 200 cm³. Pour le gorille, le corps du nouveau-né pèse au total 4,75 livres (1 980 grammes), et le volume du cerveau à la naissance n'est guère plus important que chez le chimpanzé.

Chez les anthropoïdes, la petite taille du nouveau-né est probablement plus ou moins liée à la courte durée du travail de la femelle. Cependant, pour l'homme, la grande taille du corps et surtout celle de la tête à 266 jours et demi, âge fœtal, rend nécessaire la naissance de l'enfant à ce moment-là. S'il ne naissait pas et continuait à grandir au même rythme de croissance, il ne pourrait plus du tout naître, avec toutes les conséquences fatales que cela entraînerait pour la continuité de l'espèce humaine.

A cause de la position debout chez l'homme, le bassin pelvien a subi des modifications importantes dans tous ses organes. Entre autres, l'orifice pelvien s'est rétréci. Pendant la parturition, cet orifice s'élargit quelque peu et les ligaments pelviens se détendent assez pour laisser passer dans le canal de naissance la tête de l'enfant en la modelant et en la comprimant un peu. Pour s'adapter à cette situation, le développement des os crâniens du bébé par rapport aux membranes qui les contiennent est beaucoup moins avancé chez les humains que chez les singes du même âge de gestation. Ainsi les os crâniens du bébé donnent de très grandes possibilités de mouvements et de chevauchements. C'est une adaptation aux forces compressives qui vont peser sur eux pendant le déroulement de la naissance. Le bébé humain est donc né parce qu'il devait naître à ce moment-là, faute de quoi la rapidité de la croissance de son cerveau rendrait sa naissance absolument impossible. La croissance du bébé anthropoïde ne pose pas de tels problèmes, grâce en particulier à la largeur du bassin de la mère.

Ce n'est pas seulement la longue période où le comportement de l'enfant humain marque une absence de maturité qui révèle combien il est encore inachevé et dépendant à la naissance. C'est aussi son état d'immaturité physiologique et biochimique. Par exemple, il manque un certain nombre d'enzymes au nouveau-né humain. En cela, l'homme partage une caractéristique commune à d'autres mammifères, sauf que chez l'enfant, la plupart de ces enzymes n'existent pas du tout, à la différence des autres petits mammifères que nous avons pu étudier jusqu'ici. Chez les cochons d'Inde et les souris, par exemple, les enzymes du foie apparaissent au cours de la semaine qui suit la naissance, mais il leur faut 8 semaines pour se développer complètement. Il semble que chez tous les mammifères, la présence d'un élément quelconque en milieu utérin empêche la formation de l'enzyme du foie dans le fœtus. Pour le bébé humain, il se passe plusieurs semaines, voire plusieurs mois, avant que n'apparaissent les enzymes du foie, et les enzymes du duodénum, les amylases. Les enzymes gastriques, en revanche, sont présentes et tout à fait prêtes pour l'ingestion du colostrum et du lait provenant du sein de la mère; mais elles seraient encore incapables de métaboliser efficacement la nourriture que des enfants plus grands consomment.

Toutes ces constatations soulignent que, même si la période de gestation chez l'homme ne diffère de celle des grands singes que d'une semaine ou deux, de nombreux autres facteurs interviennent, qui contribuent à prolonger le processus de développement de l'enfant et font que sa naissance a lieu avant que la gestation soit achevée. On aurait tendance à penser qu'un organisme qui se développe aussi rapidement que le fœtus humain dans les dernières phases du développement utérin et dans la prime enfance devrait bénéficier d'une période de gestation beaucoup plus longue au sein de la matrice pour mener à bien son développement. A comparer avec les grands singes, toutes les phases du développement de l'homme prennent plus de temps — sauf celle du développement utérin. Pourquoi donc cette exception concernant la période de gestation?

La raison semble être que le bébé doit sortir dès que sa tête a atteint la taille maximale compatible avec son passage dans le canal de naissance. Le fait est là : le fœtus humain naît avant que sa période de gestation soit achevée. La croissance du cerveau prend un tel rythme pendant le dernier mois de grossesse que la prolonger à l'intérieur de l'utérus rendrait la naissance impossible. La survie du fœtus et de la mère exige donc que la gestation matricielle prenne fin quand la tête a atteint la taille limite compatible avec la naissance, bien longtemps avant l'achèvement de la maturation.

On appelle « néoténie » le processus d'évolution de l'espèce qui a rendu le développement de l'homme plus complexe et plus long. Le terme désigne le processus grâce auquel les caractéristiques fonctionnelles et structurales des formes ancestrales primitives (fœtales ou infantiles) sont conservées aux différentes étapes du développement de l'individu au cours d'une croissance, de l'enfance à l'âge adulte. Par exemple, la tête volumineuse de l'homme, son visage plat, la rondeur de son crâne, la petite taille de son visage et de ses dents, l'absence de sourcils, la fragilité des os crâniens, leur suture tardive, la relative calvitie, les ongles fins, les longues périodes d'apprentissage, l'attrait du rire et du jeu, tout cela, et beaucoup d'autres traits de caractère, fournit des preuves de la néoténie.

La gestation humaine fait partie des gestations longues; néanmoins, la deuxième moitié de son développement se poursuit hors de la matrice. Dans l'acception que nous lui avons donnée, la gestation n'est pas terminée à la naissance, et l'utérogestation (c'est-à-dire la gestation à l'intérieur de la matrice) se prolonge en extérogestation (gestation à l'extérieur de la matrice). Bostock a proposé que la fin de l'extérogestation soit fixée au stade où l'enfant commence à courir à quatre pattes. C'est une idée qui présente beaucoup d'avantages car, fait curieux, l'extérogestation, ainsi limitée au moment où l'enfant commence à ramper, dure exactement le même temps en moyenne que l'utérogestation, 266 jours et demi. A ce propos, il est aussi intéressant de rappeler qu'une grossesse sera différée si la mère allaite son enfant. Allaiter au sein provoque la suppression de l'ovulation pendant un laps de temps variable et constitue ainsi une méthode naturelle — bien que pas toujours fiable — d'étalement des naissances. De même, elle supprime les saignements menstruels. Au contraire, lorsque la mère n'allaite pas au sein, les saignements menstruels tendent à être plus abondants et plus longs, et les réserves d'énergie de la mère s'épuisent dans ces pertes importantes. Cesser prématurément d'allaiter au sein donne lieu à des inconvénients divers, surtout si la mère a déjà d'autres enfants qui réclament son attention. Généralement, donner le sein présente des avantages, non seulement pour le bébé, mais aussi pour la mère et donc pour l'ensemble du groupe. On ne mentionne ici que les avantages physiques de l'allaitement naturel. Mais les bienfaits psychologiques que la mère et l'enfant retirent de la relation de l'allaitement sont encore plus importants, surtout dans une espèce animale où la mère est appelée à maintenir cette symbiose avec son enfant tant que dure la gestation hors de la matrice.

Pour apprendre ce qu'il doit savoir et fonctionner comme un être humain bien adapté, l'enfant a besoin d'un grand magasin où stocker toute l'information nécessaire, autrement dit, il a besoin d'un cerveau ayant une capacité considérable de réserves et de récupération de l'information. Il est prodigieux qu'à l'âge de 3 ans, le cerveau d'un bébé ait atteint à peu près complètement sa taille adulte. Le volume du cerveau d'un enfant de 3 ans est de 960 cm³, alors que celui d'un adulte vers l'âge de 20 ans est de 1 200 cm³. C'est-à-dire qu'à partir de la fin de sa troisième année, le cerveau humain ne grossira plus que de 240 cm³ supplémentaires, pour atteindre sa taille définitive. Ces 240 cm³ se formeront très progressivement tout au long des 17 années suivantes. En d'autres termes, en 3 ans de vie, le petit homme a réalisé la croissance de son cerveau à 90 %. Pendant la seule première année, le cerveau du bébé double de volume, jusqu'à atteindre 750 cm³ environ, soit 66 % de sa taille adulte. Presque les deux tiers de la croissance totale du cerveau sont réalisés à la fin de la première année. Il faudra à l'enfant 2 années supplémentaires pour compléter le troisième tiers et atteindre les 960 cm³ à la fin de la troisième année (cf. tableau II). C'est donc pendant la première année que le cerveau se développe le plus, et le plus rapidement.

Il est important que la majeure partie de la croissance du cerveau soit accomplie pendant la première année, au moment même où l'enfant a tant à faire et à apprendre. En fait, la première année de vie exige une grande quantité de « bagages », sous un volume ramassé, pour un voyage qui durera toute la vie du voyageur. Pour réaliser ces « réserves » en toute sécurité, l'enfant aurait besoin d'un cerveau plus gros que ses 375 ou 400 cm³. Mais très évidemment, il ne peut pas attendre d'avoir un cerveau de 750 cm³ avant de naître. Donc il naît avec un cerveau de la plus grande taille possible dont la croissance se poursuit après la naissance. Le fait que le fœtus humain soit expulsé, lorsque son crâne a atteint la taille limite compatible avec son entrée et sa sortie du canal de naissance, oblige l'enfant à compléter après la naissance le développement et la maturation que les autres mammifères terminent avant. En d'autres termes, la période de gestation s'étend au-delà de la naissance.

Si l'on admet cette interprétation de la gestation, on voit plus nettement que jamais qu'actuellement nous ne répondons pas aux besoins du nouveau-né d'une manière adéquate ou qui s'en approche, alors que le petit enfant est si fragile et dépend

TABLEAU II

CROISSANCE DU CERVEAU ET DE LA CAPACITÉ CRÂNIENNE CHEZ LES HUMAINS DES DEUX SEXES

Age	Poids (grammes)	Volume (cm³)	Capacité crânienne (cm³)
Naissance	350	330	350
3 mois	526	500	600
6 mois	654	600	775
9 mois	750	675	925
1 an	825	750	1 000
2 ans	1 010	900	1 100
3 ans	1 115	960	1 225
4 ans	1 180	1 000	1 300
6 ans	1 250	1 060	1 350
9 ans	1 307	1 100	1 400
12 ans	1 338	1 150	1 450
15 ans	1 358	1 150	1 450
18 ans	1 371	1 175	1 475
20 ans	1 378	1 200	1 500

SOURCE : « Croissance et développement de l'enfant », Conférence de la Maison-Blanche 1933.

totalement de son nouvel environnement pour sa survie et son développement. On a l'habitude de considérer la période de gestation comme terminée à la naissance, mais je pense que c'est une idée aussi erronée que de croire que la vie commence à la naissance. La naissance n'inaugure pas plus la vie d'un individu qu'elle ne marque la fin de la gestation. Elle représente une série de transformations fonctionnelles complexes et extrêmement importantes qui servent à préparer le nouveau-né à passer le gué entre la gestation dans la matrice et la gestation qui se poursuit hors de la matrice.

Le fait que l'enfant naisse dans une condition d'inachèvement si précaire rend particulièrement nécessaire pour les parents de bien comprendre ce que cet inachèvement signifie; à savoir qu'au travers de toutes les transformations dues au déclenchement de la naissance, l'enfant poursuit sa période de gestation. Il passe, par le chemin de la naissance, de l'utéro-gestation à l'extérogestation dans une relation continue et encore plus étroite et complexe avec la mère, qui est la personne la mieux préparée à répondre à ses besoins. Les informations que l'enfant nouveau-né reçoit par sa peau, son premier moyen de communication, font partie de ses besoins fondamentaux. Les contractions massives de l'utérus sur le corps du fœtus jouent un rôle important pour le préparer à affronter le monde postnatal, comme s'il était une matrice à l'air libre. C'est de cela que nous allons maintenant parler.

De la bonne méthode pour les caresses

Mis à part les humains, les mammifères ont une période de travail parturiant relativement courte. Elle est en général insuffisante pour déclencher l'activité des systèmes vitaux, tels que le système génito-urinaire, gastro-intestinal et, partiellement, le système respiratoire. C'est pour provoquer cette « mise en route » que les mères lèchent leurs petits. Elles le font naturellement, en réagissant aux odeurs, à i'humidité, au toucher, à la température, au souvenir de leurs propres sensations et autres choses du même ordre. Cette sorte d'instinct-réflexe est faible chez les humains. Les réactions de la mère devant son nouveau-né dépendent en grande partie de sa propre expérience comme bébé, puis comme enfant, et, dans une moindre mesure, de son éducation et de sa maturité. Si la mère n'a pas appris ce qu'est un comportement maternel, soit en le vivant en tant que bébé, soit par apprentissage, elle se révélera probablement maladroite et mettra en danger la survie de son enfant [1]. Donc la garantie fondamentale d'une préparation correcte du bébé à son fonctionnement postnatal doit être assurée par un phénomène physiologique automatique. Cette préparation ne doit pas dépendre d'un comportement postnatal de la mère, comme par exemple le léchage. Pour l'espèce humaine, cette garantie est assurée par les contractions prolongées de l'utérus sur le corps du fœtus. Les stimulations qu'il reçoit ainsi activent, tonifient les systèmes vitaux et les préparent aux fonctions qu'ils vont remplir tout de suite après la naissance. En un mot, nous voulons dire par là que les contractions utérines du travail représentent, outre leur fonction vitale, des séries de stimulations massives calculées pour activer les systèmes vitaux et assurer leur fonctionnement correct.

Les systèmes vitaux comprennent le système respiratoire, qui contrôle l'inspiration d'oxygène d'une part, l'utilisation et l'élimination du gaz carbonique d'autre part; le système circulatoire, qui oxygène les vaisseaux sanguins jusqu'aux capillaires pour alimenter les cellules, élimine les déchets gazeux et les renvoie vers les poumons; le système digestif, qui s'occupe de l'ingestion et de la décomposition chimique de la nourriture solide et liquide; le système d'élimination, qui expulse les déchets des voies alimentaires et urinaires, et aussi de la peau grâce aux glandes sudoripares; le système nerveux qui informe l'organisme des stimuli et le met à même de réagir correctement; enfin le système endocrinien qui coordonne le fonctionnement de tous ces systèmes, et joue de plus un rôle

1. Pour une argumentation plus approfondie à ce sujet, voir A. Montagu, *The Reproductive Development of the Female*, New York, Julian Press, 1957.

autonome important dans la croissance, le développement et le comportement. La réaction du centre respiratoire aux changements biochimiques dus au manque d'oxygène et à l'accumulation de gaz carbonique déclenche l'ensemble compliqué du processus de la respiration. La circulation devient autonome. Le foramen, l'orifice percé dans le septum, la paroi qui sépare les deux ventricules du cœur, commence à se fermer : pour le fœtus, cet orifice laissait le sang passer directement du ventricule droit au ventricule gauche. De même, le ductus arteriosus se ferme : il reliait directement, par en dessous, l'aorte au tronc pulmonaire. Maintenant, ce sont les artères pulmonaires qui véhiculent le sang jusqu'aux poumons pour qu'il y soit oxygéné; de là, il retourne au cœur par les veines pulmonaires et après être passé dans le ventricule gauche par l'aorte, il rejoint la circulation générale. C'est un circuit très différent de celui qui existait dans le fœtus. Celui-là implique d'une manière tout à fait nouvelle la mise en jeu de muscles — ceux de la poitrine, de l'abdomen, du diaphragme et du cœur — et aussi d'organes, tels que les poumons et l'ensemble des voies respiratoires. De plus, le nouveau-né commence à prendre en charge la régulation thermique de son corps. Là encore, ce sont les stimulations dues au processus de naissance qui ont éveillé l'activité des centres régulateurs thermiques.

Les contractions de l'utérus sur le corps du fœtus stimulent les nerfs sensoriels périphériques de la peau. Les impulsions ainsi émises sont transmises au système nerveux d'où elles sont dirigées vers les différents organes qu'elles innervent par l'intermédiaire du système neurovégétatif. Lorsque la peau a été insuffisamment stimulée, les systèmes nerveux et neurovégétatif ne fonctionnent pas bien et ralentissent l'activité des principaux systèmes d'organes.

C'est une observation vieille comme le monde que, si un nouveau-né n'arrive pas à respirer, il suffit de lui donner une ou deux tapes vigoureuses sur les fesses pour provoquer l'inspiration. La signification profonde, au plan physiologique, de ce fait étonnant a l'air d'avoir échappé à l'attention générale. Mais, dans cette situation, c'est-à-dire lorsque le bébé n'arrive pas à respirer immédiatement après la naissance, il m'a semblé possible, en me fondant sur les relations physiologiques que l'on a vues précédemment, d'obtenir la stimulation du centre et des organes respiratoires en immergeant le bébé dans des bains alternativement chauds et froids. En m'informant je me suis aperçu qu'en fait, c'était là une pratique ancestrale. De ce fait, on peut affirmer que la stimulation cutanée active le système neurovégétatif, lequel à son tour agit sur les centres respiratoires et les viscères. On connaît bien l'effet d'une douche froide brutale sur la respiration. Il relève d'un enchaînement de phénomènes identiques.

Les contractions de l'utérus sur le corps du fœtus produisent des stimulations brèves et intermittentes, mais pendant une longue période. C'est exactement ce qu'il faut au bébé pour le préparer à son mode de fonctionnement postnatal.

Mais comment être sûr que c'est vraiment là une des fonctions de la stimulation cutanée prolongée? On peut commencer par se demander ce qui se passe lorsque la stimulation cutanée du fœtus ne se fait pas bien, par exemple dans le cas d'enfants nés en catastrophe. Cela arrive souvent avec les enfants prématurés, ou les accouchements par césarienne. D'après notre théorie, nous nous attendons à trouver chez ces enfants des troubles de fonctionnement respiratoire, génital et gastro-intestinal. Or, les recherches qui ont été faites sans connection, ni référence aucune à notre théorie, mais qui s'y rattachent directement, nous donnent tout à fait raison. Par exemple, le docteur C. M. Drillien, en étudiant les dossiers de plusieurs milliers de prématurés, s'est aperçu que ces enfants présentaient pendant les premières années de leur vie postnatale un taux sensiblement plus fort que les enfants nés normalement de maladies et de troubles rhinopharyngiques et respiratoires. La différence était particulièrement nette pendant la première année.

En 1939, Mary Schirley a publié les résultats d'une étude réalisée au Centre d'études de l'enfance de Harvard, à Boston, et portant sur des enfants prématurés parvenus à l'âge de la crèche et du jardin d'enfants. Elle nota que ces enfants faisaient preuve d'une acuité sensorielle plus élevée que les enfants nés à terme, mais avaient en comparaison un peu de retard dans le contrôle de leur activité manuelle ou linguistique et dans la maîtrise de leur corps, en position et en mouvement. Ils contrôlaient plus tard et plus difficilement leurs sphincters anal et vésical. Leur capacité d'attention était brève. Ces enfants étaient enclins à une grande émotivité. Ils se montraient nerveux, anxieux, et souvent timides. Pour résumer ses observations, Shirley écrivait que les enfants prématurés posaient nettement plus de problèmes de comportement au cours de leur vie préscolaire que les enfants portés à terme. Ces problèmes se manifestaient entre autres par une hyperactivité, un contrôle tardif de l'anus et de la vessie, de l'énurésie, une distraction et une timidité excessives, un sens de la contradiction marqué, une hypersensibilité au bruit et le fait de sucer son pouce.

Les bébés nés par césarienne souffrent aussi d'un certain nombre de handicaps à la naissance, à commencer par un taux de mortalité deux à trois fois plus fort que dans les naissances normales. S'ils sont nés à terme, ce taux est deux fois plus fort. Même lorsque la césarienne est « volontaire », c'est-à-dire qu'elle n'est pas effectuée d'urgence, le taux de mortalité est de 2 % plus élevé. Et parmi les césariennes d'urgence, il est de 19 % plus fort.

On peut supposer que le manque de stimulation cutanée des bébés nés par césarienne est en grande partie responsable des maladies et autres handicaps dont ils souffrent.

Les pédiatres ont remarqué que les bébés nés par césarienne présentaient des tendances à la léthargie, avaient des réactions moindres et pleuraient moins souvent que les bébés nés normalement.

Dans l'espoir d'éclairer un peu l'histoire du développement de l'enfant né par césarienne, le docteur Gilbert W. Meier de l'Institut national de la santé a dirigé des expériences sur les singes macaques (macaca mulatta). Il a comparé 13 petits nés par césarienne, et 13 autres nés normalement, pendant les 5 premiers jours de leur vie. Il s'est aperçu que « dans cette situation, les animaux dont la naissance avait été vaginale étaient plus actifs, plus vifs à s'adapter à la situation, plus prompts à répondre à des stimuli supplémentaires ». L'usage de la voix, les réflexes d'évitement — qui sont les premières réponses vraiment apprises — et toutes les manifestations d'activité étaient en moyenne trois fois plus fréquents chez les petits singes nés par la voie naturelle que chez ceux qui avaient été délivrés par césarienne.

Il est tout à fait probable que, si les bébés nés par césarienne avaient été suffisamment caressés les premiers jours de leur vie, leur développement physique et leur comportement auraient été considérablement modifiés. Toutes les observations vont nettement dans ce sens.

Les docteurs Sydney Segal et Josephine Chu de l'Université de Colombie britannique ont étudié 26 cas de naissances vaginales et 36 par césarienne. Ils ont constaté que les enfants de la seconde série avaient une capacité vitale de cris et de pleurs inférieure, et ce, pendant les 6 jours de leur séjour à la pouponnière.

La découverte la plus intéressante porte sur la fabrication du sucre chez les nouveau-nés. Normalement, lorsqu'on introduit dans le système digestif un petit peu de glucagon, substance qu'on croit sécrétée par le pancréas, le système réagit en fabriquant du sucre. La quantité de sucre produite en réponse au glucagon s'est révélée beaucoup plus importante chez les bébés nés vaginalement que chez les bébés qui avaient eu besoin d'une césarienne *avant la phase de travail*. Cependant, si la phase de travail s'était effectuée avant la délivrance par césarienne, cette différence s'effaçait. L'importance fondamentale du « travail » dans la préparation du petit enfant à son fonctionnement postnatal se trouvait ainsi confirmée incontestablement.

Schirley et Drillien ont l'un et l'autre observé que les prématurés étaient des enfants qui avaient des problèmes d'alimentation plus fréquents et plus graves que les enfants nés à terme. Ces observations abondamment confirmées par d'autres chercheurs suggèrent qu'une insuffisance de stimulation cutanée joue là un rôle, et qu'elle est responsable, dans un certain nombre de cas au moins, d'une sensibilité plus grande des systèmes respiratoire, gastro-intestinal et génito-urinaire, aux infections et aux troubles de toute sorte. Le syndrome de l'obstruction intestinale par le méconium en est une preuve supplémentaire. C'est la situation dans laquelle les cellules mortes des sécrétions des glandes intestinales et du fluide amniotique s'agglomèrent et provoquent une obstruction intestinale qui aboutit dans un délai donné à vider l'estomac et à faire passer la nourriture à travers les intestins. Il s'agit là d'une évidente paresse du pancréas à sécréter de la trypsine qui décompose les protéines, et désorganise l'action péristatique des intestins. Il y a donc à la fois un ralentissement et une interruption du mouvement du méconium. L'ensemble du syndrome relève incontestablement d'un manque d'activité des substances nécessaires dans les voies gastro-intestinales.

Le docteur William J. Pieper et ses collègues ont mené des études de cas à partir des dossiers d'une clinique d'État pour la protection de l'enfance. Ils ont regroupé les enfants par paires, l'un né par césarienne et l'autre normalement, en les couplant par âge, sexe, appartenance ethnique, rang de naissance dans la famille et niveau professionnel du père. Ils ont ainsi obtenu 188 paires d'enfants. Les comparaisons portaient sur 76 variables. Au regard de la plupart des variables, les deux catégories d'enfants étaient identiques. On ne remarquait de différences que pour un petit nombre d'entre elles. Par exemple, tous les enfants nés par césarienne étaient, à partir de 8 ans, et même avant pour les petits garçons, beaucoup plus sujets aux troubles d'élocution; il était courant qu'ils aient des difficultés à parler au moment de la visite médicale; et souvent la mère se plaignait qu'ils aient un comportement incompréhensible dans les relations mère-enfant. On avait noté six autres différences : les petits garçons nés normalement avaient plutôt des troubles somatiques non spécifiés alors que les petits garçons nés par césarienne présentaient aux yeux du psychologue des troubles organiques évidents. Les enfants nés par césarienne avaient tendance, avant 8 ans, à avoir peur de l'école et à présenter divers autres symptômes moins caractérisés de troubles de la personnalité. Et après 8 ans, ils étaient plus que les autres enclins à la nervosité et aux colères.

Les différences relevées par Pieper et ses collègues entre les deux catégories d'enfants sont sans équivoque de nature émotionnelle, les enfants nés par césarienne présentant des troubles émotionnels graves et caractérisés. Il serait difficile d'attribuer ces différences à un seul facteur du développement des enfants.

Mais, nous le verrons, il est très probable que l'insuffisance de stimulation cutanée pendant la période périnatale, c'est-à-dire juste avant et juste après la naissance, soit un des facteurs à considérer.

Le docteur M. Straker a constaté que l'anxiété et les troubles émotionnels étaient nettement plus fréquents chez les individus nés par césarienne. Liberson et Frazier, eux, ont trouvé que le tracé des électro-encéphalogrammes des nouveau-nés par césarienne montrait une plus grande stabilité physiologique que celui des bébés normaux. La remarque cependant ne vaut pas comme preuve d'une plus ou moins grande stabilité physiologique. Elle n'est mentionnée ici que pour souligner que toutes les observations ne vont pas dans le même sens.

Le docteur H. Barron soutient que la stimulation cutanée *a posteriori* peut compenser en partie le manque de stimulations de la peau pendant le processus de naissance lui-même. Il a observé deux petits jumeaux, dont la délivrance avait eu lieu par césarienne, avant la phase de travail. L'un des nouveau-nés est resté mouillé dans une pièce chaude, alors que l'autre a été séché complètement avec une serviette. Celui-ci s'est remis plus vite que le premier. Cette différence de réaction, remarque Barron, souligne la valeur de la stimulation cutanée sur la vitalité. « J'ai l'impression, dit-il, que le séchage, le léchage et la toilette sont très importants pour élever le niveau général de l'excitabilité nerveuse du petit, et donc accélérer son aptitude à se dresser sur les genoux, s'orienter et se tenir debout. »

La tête du fœtus humain parvenu à terme est plus grosse qu'elle ne l'a jamais été dans la matrice. Et elle est située dans la partie la plus étroite de l'utérus. Du fait de la taille de sa tête et de sa position tête en bas, le fœtus reçoit des stimulations considérables sur le visage, le nez, les lèvres et le reste de la tête, par l'utérus en contraction. Cette stimulation faciale correspond au léchage du museau et de la région orale que les autres animaux prodiguent à leurs petits. Et, probablement, elle a la même fonction, envoyer une décharge sensorielle au système nerveux central et éveiller l'excitabilité du centre respiratoire. Barron a bien montré comment la concentration d'oxygène dans le sang augmentait au moment du léchage et de la toilette chez les cabris nouveau-nés. « L'éveil de l'excitabilité du centre respiratoire approfondit l'effort respiratoire, ce qui élève le niveau d'oxygénation du sang et donc augmente la capacité de mouvement et de force musculaires. »

En ce qui concerne l'oxygénation du sang, ces observations ont été confirmées par les études comparées des bébés humains nés normalement, par césarienne ou prématurés. McCance et Otley ont montré que si on séparait de sa mère un petit rat nouveau-né immédiatement après la naissance, ses reins ne fonctionnaient presque pas pendant les premières 24 heures. Ils en déduisent qu'en temps normal, les soins de la mère provoquent un accroissement d'excrétion d'urée dû à un changement réflexe de la circulation du sang dans les reins.

La peau et les voies gastro-intestinales se rejoignent non seulement aux lèvres et à la bouche, mais aussi dans la région anale. Il n'est donc pas très surprenant, à la lumière de ce que nous avons déjà vu, de constater que stimuler cette région n'active pas seulement la fonction gastro-intestinale, mais aussi la fonction respiratoire. C'est une pratique connue pour stimuler la respiration des nouveau-nés et qui réussit souvent là où d'autres méthodes ont échoué.

Les contacts cutanés entre la mère et l'enfant leur sont bénéfiques à tous deux. Une preuve encore : si le nouveau-né est placé sur le corps de la mère, l'utérus continue à se contracter. Cette constatation fait partie de la sagesse populaire de beaucoup de pays depuis des siècles. On rapporte par exemple qu'à Brunswick, en Allemagne, c'est la coutume de ne pas permettre que l'enfant repose au côté de la mère pendant les premières 24 heures, « sinon l'utérus ne peut se détendre et s'agite dans le corps de la femme comme un gros rat ». La sagesse populaire a pris conscience du fait, mais n'a pas su en tirer la bonne conclusion, à savoir que les contractions de l'utérus étaient bénéfiques à la mère.

Les informations que l'on a pu parcourir dans les pages précédentes, si éparses soient-elles, étayent sérieusement notre hypothèse : la longue phase de travail de la femme, et surtout les contractions de l'utérus, ont une fonction importante; la même que le léchage et la toilette du nouveau-né chez les autres animaux. Elles servent à parachever le développement du fœtus pour lui assurer un fonctionnement optimal de ses systèmes vitaux après la naissance. Nous avons vu que chez les animaux, la stimulation cutanée du corps du bébé est, dans la plupart des cas, une condition absolument indispensable de la survie du petit. Pour l'espèce humaine, nous avons émis un certain nombre d'hypothèses : d'une part que la gestation n'était qu'à demi terminée à la naissance; d'autre part que le comportement maternel était plus appris qu'instinctif. Dans ces conditions, les contractions utérines réflexes et prolongées joueraient pour le fœtus le rôle de stimulation physiologique massive et automatique de la peau, et à travers la peau, de tous les systèmes d'organes. Les observations expérimentales, comme nous l'avons noté, tendent à confirmer l'hypothèse que les contractions utérines pendant le travail constituent le début du massage du bébé, tel qu'il doit être fait et poursuivi de cette manière très particulière, immédiatement après la naissance, et même assez longtemps ensuite. Ce sera l'objet du prochain chapitre.

CHAPITRE III

L'allaitement au sein

J'ai levé les yeux sur les collines
De là viendra mon salut [1].

Pendant tout le processus de naissance, la mère et l'enfant ont eu le temps de s'habituer l'un à l'autre. Et, à la naissance, chacun d'eux a expressément besoin d'être rassuré par la présence de l'autre. Être rassurée, pour la mère, c'est voir son bébé, le sentir sur son corps, entendre son premier cri. Pour le bébé, c'est être en contact avec le corps de sa mère, percevoir sa chaleur, être bercé dans ses bras, être caressé et téter au sein, être bien accueilli dans le « cercle de famille ». Ce ne sont là que des mots, mais ils font référence à des conditions psychophysiologiques très réelles.

Quelques minutes après que le bébé est né, il faut achever la troisième phase du travail. On doit détacher le placenta et le faire sortir. Normalement, le saignement des vaisseaux déchirés de l'utérus cesse petit à petit, et l'utérus commence à revenir à une taille normale. Si on met le bébé à téter le sein de la mère immédiatement après la naissance, avant même que le cordon ne soit coupé pourvu qu'il soit assez long, la succion du bébé contribuera à accélérer les trois phénomènes. En tétant le sein, le bébé opère des changements chez la mère; sa succion accroît la sécrétion d'ocytocine par l'hypophyse, provoquant ainsi des contractions importantes de l'utérus, ce qui a pour conséquence : 1. les fibres du muscle utérin se contractent sur les vaisseaux sanguins; 2. les vaisseaux utérins se resserrent en

1. Psaumes, 121.1.

même temps; 3. l'utérus commence à diminuer de taille; 4. le placenta se détache de la paroi utérine; 5. le placenta est éjecté par les contractions expulsives de l'utérus. En outre, la tétée accroît fortement les capacités de sécrétion des seins. Physiologiquement, l'allaitement au sein de son bébé intensifie chez la mère l'instinct maternel, le plaisir de s'occuper de son enfant. Psychologiquement, il sert à sceller le lien de symbiose entre la mère et l'enfant.

Pour le nouveau-né quel meilleur apaisement que le soutien de sa mère, la satisfaction de téter à son sein, quelle meilleure promesse des choses à venir ? La stimulation cutanée que le bébé reçoit des caresses de sa mère, du contact avec son corps, de sa chaleur et surtout des stimulations péri-orales, c'est-à-dire des stimulations reçues pendant la tétée, sur le visage, les lèvres, le nez, la langue, la bouche sont importantes. Elles améliorent les fonctions respiratoires, et donc l'oxygénation du sang. Pour l'aider à téter, la lèvre supérieure du bébé est munie d'une papille médiane qui lui permet d'avoir une bonne prise sur le sein. En même temps, au sein, le bébé ingère le colostrum, la meilleure de toutes les nourritures qu'il puisse absorber. Le colostrum ne dure que deux jours, et entre autres choses, il a un effet laxatif. C'est la seule substance qui puisse débarrasser efficacement du méconium l'appareil gastro-intestinal du bébé. Le colostrum représente la meilleure garantie contre la diarrhée chez le bébé. Les nourrissons qui absorbent ce colostrum n'ont pas de diarrhée. Le fait est que le seul traitement efficace contre la diarrhée des bébés consiste à leur donner le sein. Le colostrum est plus riche en lactoglobuline que le vrai lait, et contient des éléments qui immunisent le bébé contre un certain nombre de maladies. Il y a des années que le docteur Theobald Smith de New York a montré que chez les veaux, le colostrum immunisait contre la septicémie provoquée par le colibacille du côlon. En 1934, le docteur J. A. Toomey a démontré que les mêmes facteurs immunisants existaient dans le colostrum humain, ainsi que d'autres immunisant contre des bactéries infectieuses de l'appareil gastro-intestinal. Le colostrum favorise la culture des « bonnes » bactéries et supprime celles qui sont nocives dans l'appareil digestif du nouveau-né.

A plus d'un titre, le veau qui vient de naître a une maturité plus grande que le nouveau-né humain. Comme le veau, le nouveau-né n'a pas toute sa capacité immunologique, à la naissance. C'est-à-dire qu'il ne dispose pas d'anticorps et n'est pas tellement capable d'en fabriquer comme défenses contre les intrusions étrangères. Le colostrum issu du sein de la mère, riche en anticorps, est de 15 à 20 fois plus riche en gamma-globuline que le sérum maternel. Il transmet au nouveau-né tous ces anticorps, qui lui confèrent une immunité passive pour les 6 premiers mois, au cours desquels le bébé va progressivement sécréter ses propres anticorps.

Ainsi, donner le sein a un certain nombre de conséquences bénéfiques pour le nouveau-né : immunologiques, nerveuses, psychologiques et organiques. Pendant les 75 millions d'années de l'évolution des mammifères, et *a fortiori* pendant les quelque 5 millions d'années ou plus de l'évolution de l'espèce humaine, l'allaitement a toujours représenté le moyen le plus efficace de subvenir aux besoins du nouveau-né, si dépendant et si fragile.

Dans ce livre, je m'intéresse principalement à la stimulation de la peau comme facteur important du développement de l'individu et non aux vertus nutritives et immunologiques des substances absorbées pendant l'allaitement au sein. Il est cependant d'une importance fondamentale, pour nous, de comprendre que le colostrum qui dure à peu près 2 jours, le pré-lait environ 8 jours, et le lait définitif qui n'intervient qu'au 10e jour, ont tous pour fonction d'harmoniser le développement progressif des besoins métaboliques de l'enfant, et ses capacités à assimiler les diverses substances qu'il ingurgite. Le développement du système enzymatique du bébé prend quelques jours avant de pouvoir traiter ces substances, des protéines pour la plupart. Le colostrum, le pré-lait et le lait définitif, par leur succession progressive, sont parfaitement synchronisés et adaptés au développement physiologique du système digestif du nourrisson.

Ces faits visent à démontrer que l'allaitement au sein constitue une exigence fondamentale pour le nouveau-né. Non pas que l'enfant ne puisse pas survivre sans allaitement au sein, mais il ne se développera pas aussi bien que le bébé nourri au sein. Et, en fin de compte, le bébé nourri au sein prendra un bien meilleur départ pour une vie équilibrée que le bébé qui ne l'a pas été.

Le colostrum et le pré-lait monteront même si le bébé ne tète pas. Mais la transmission de ces matières au bébé ne se fera que par la tétée. La relation entre *faire* le lait et *donner* le lait s'appelle le réflexe de sécrétion lactée. Quand le bébé commence à téter au sein, l'excitation cutanée de la mère engendre des pulsions nerveuses qui se propagent le long des neurones jusqu'à l'hypophyse, qui libère alors l'ocytocine dans le sang. L'ocytocine, en atteignant la structure glandulaire du sein, stimule les cellules mammaires qui entourent les alvéoles et les canaux lactaires, ce qui dilate ces canaux. Du coup, l'écoulement du lait se fait plus important dans les muqueuses derrière le mamelon. Le réflexe de sécrétion joue de 30 à 90 secondes après le début de la tétée, et la transmission au bébé des riches substances du sein maternel se poursuit, tant que la mère continue à l'allaiter.

Normalement, tant que dure l'allaitement naturel, et pendant au moins 10 semaines, souvent davantage, il ne se produit pas de grossesse. C'est donc une sorte de contrôle naturel des naissances qui s'exerce pendant la période d'allaitement maternel. Les avantages de l'alimentation au sein sont pour le bébé considérables. Au cours d'une étude portant sur 173 enfants suivis de la naissance à l'âge de 10 ans, comprenant à la fois des enfants nourris au sein et d'autres non, on s'est aperçu que les enfants qui n'avaient pas été allaités au sein avaient 4 fois plus d'affections respiratoires, 20 fois plus de diarrhées, 22 fois plus d'infections diverses, 8 fois plus d'eczéma, 22 fois plus d'asthme et 27 fois plus de rhumes.

De même, les docteurs C. Hoefer et M. C. Hardy, dans une étude sur 383 enfants de Chicago, se sont aperçus que les enfants nourris au sein étaient physiquement et mentalement supérieurs à ceux qui avaient eu un allaitement artificiel. Et ceux qui avaient reçu le sein pendant une période de 4 à 9 mois étaient, de ce point de vue, avantagés sur ceux qui avaient été sevrés à 3 mois ou avant. Les enfants élevés au biberon se rangeaient parmi les derniers pour tous les caractères physiques mesurés. Ils étaient les plus sujets aux carences alimentaires, aux maladies infantiles, et les plus lents à apprendre à marcher et à parler.

Le sevrage précoce est un sujet sur lequel nous ne disposons d'aucune information pour l'espèce humaine. Mais nous en avons quelques-unes pour les rats. Lors d'un symposium international qui se tenait à Liblice en Tchécoslovaquie sur « Le développement postnatal du phénotype », le docteur Jiri Krecek de l'Institut de physiologie de Prague a développé la thèse suivante : l'allaitement est une période critique pour les mammifères, car c'est à ce moment-là qu'un certain nombre de mécanismes physiologiques de base se ré-organisent; entre autres, ceux de l'équilibre salin du corps, de la nutrition générale et de la fixation des matières grasses. D'autres chercheurs ont noté que les rats sevrés tôt (le sevrage étant défini comme l'arrêt de l'allaitement au bout de 16 jours) élaborent des réflexes conditionnés moins rapidement que les rats sevrés seulement au 30e jour. En outre, à l'âge adulte, les rats sevrés très tôt présentent des carences d'acide ribonucléique, élément de base de toutes les cellules. On s'est aussi aperçu que le sevrage précoce se faisait au détriment des stéroïdes, principaux régulateurs des électrolytes, et que les hormones mâles elles-mêmes, les androgènes, en étaient affectées. A ce même congrès, le docteur S. Kazda, en mentionnant une étude sur des humains adultes, a indiqué qu'un sevrage précoce pouvait affecter la reproduction et créer certaines formes de maladies.

Un certain nombre de chercheurs ont démontré qu'allaiter un enfant pendant la première année de sa vie a sur son développement ultérieur des effets positifs ressentis jusque dans l'âge adulte. L'expérience montre qu'on devrait donner le sein à l'enfant pendant au moins 12 mois, et ne cesser que si l'enfant y est prêt. Le sevrage doit se faire par étapes successives. On peut, à partir de l'âge de 6 mois, lui donner des aliments solides qui remplacent peu à peu le lait maternel. En général, la mère sentira à quel moment le bébé est prêt au sevrage.

Les docteurs M. Pottenger Jr et Bernard Krohn, en étudiant 327 enfants, ont pu constater que le développement facial et dentaire était meilleur dans le cas d'un allaitement au sein prolongé au-delà de 3 mois que pour les enfants sevrés avant

3 mois, ou allaités autrement qu'au sein. Ils concluaient leur communication par ces mots :

> L'observation de ces 327 cas indique qu'il est préférable d'allaiter un enfant pendant 3 mois au moins, et 6 mois si possible. Cela favorise la croissance optimale de l'os malaire (os de la pommette). Nous avons aussi noté que les enfants bien allaités avaient le palais, les gencives et toutes les autres structures du visage mieux formés que les sujets auxquels on n'avait pas donné le sein.

On pourrait énumérer encore d'autres avantages de l'allaitement au sein, bénéfique à la fois pour la mère et l'enfant. Le but, bien sûr, est de donner à l'enfant quelque chose de plus qu'une alimentation équilibrée, en fait de lui procurer un environnement émotionnel d'amour et de sécurité, dans lequel tout son être peut s'épanouir. L'allaitement à lui seul n'y suffit pas. C'est la profonde intimité de la mère et de son enfant qui donne tout son sens au geste de donner le sein.

Il est très probable que le développement de la peau, en tant qu'organe, profite aussi largement des bienfaits du contact avec le sein. Même si je n'ai aucune donnée expérimentale là-dessus, il existe indéniablement des indices, des observations sur d'autres animaux qui viennent étayer cette hypothèse. Par exemple Truby King, éminent pédiatre néo-zélandais, a été frappé par les déclarations que lui fit un négociant en peaux et laines. L'anecdote vaut d'être racontée entièrement. Truby King vantait au marchand les avantages de l'allaitement au sein, et s'entendit répondre : « Vous prêchez un convaincu. Je sais très bien, par mes affaires, ce que représente le lait maternel pour le petit. Tenez! *Je peux vous dire comment vos chaussures ont été nourries!* » Et il entreprit d'expliquer et de démontrer :

> Dans le commerce, la peau de veau la plus cotée est le veau de Paris. Parce qu'on élevait ces veaux au lait maternel pour livrer la peau la plus fine à Paris. Ils ont fini par servir de référence dans le monde entier pour définir ce qu'il y a de mieux comme peau pour le tannage.
> Si vous n'enlevez pas les poils, c'est doux et lustré, ni rêche ni sec,

et toute la fourrure va dans le bon sens. Ou alors prenez le cuir, il est tout d'une pièce. Toute la peau est plus ou moins uniforme, douce, et le grain est fin et régulier. A la main, lorsque vous la touchez, vous sentez bien qu'elle a une certaine tenue. Elle est ferme, et pourtant elle reste souple et pliable. Elle est agréable à porter, à toucher. Elle procure une sensation douce. Tenez (il s'interrompt pour chercher une image) c'est comme la joue d'un enfant en bonne santé à côté de la peau d'un gamin maladif.

— Et les autres, alors? demanda Truby King.

— Ah! vous voulez dire ceux qu'on nourrit « à la chaîne », reprit le marchand, bien sûr, il y a différentes qualités, différents degrés, mais en général, la peau est faite de pièces et de morceaux. Elle n'est pas régulière partout. Elle a tendance à être sèche et rugueuse, plus ou moins morte. Elle n'a pas la même consistance, ni la finesse du grain, ni l'élasticité du veau de Paris. Tenez, regardez ça, dans le métier quand on tombe sur un vélin de premier choix, on se dit « Dieu! Ça, c'est une belle pièce! Pour sûr, ça a été nourri au lait! »

On ne peut guère mettre en doute que la « douceur » de la peau nourrie au lait tient en grande partie aux vertus alimentaires du lait maternel dont le veau s'est nourri; on ne doit donc pas se tromper beaucoup, je crois, en concluant que la texture de cette peau est aussi probablement liée aux stimulations cutanées que le veau a reçues de sa mère.

La qualité de stimulations tactiles reçues se retrouve directement dans la qualité du développement de l'organisme, pour tous les organes qui le composent. Comme nous l'avons déjà dit, on s'est aperçu depuis l'introduction de la traite mécanique des vaches, que les vaches traites à la main donnaient en fin de compte un lait plus riche et plus abondant que les vaches traites à la machine. Cela s'est aussi vérifié pour les femmes nourricières. Normalement, le bébé en tétant le sein stimule le mamelon et donc provoque le réflexe de lactation et la montée du lait. Mais dans les cas où, pour une raison ou pour une autre, le lait maternel est insuffisant, un massage systématique, commençant au ventre et remontant jusqu'au sein, suffit en général à éveiller un flot de lait abondant.

Sir Truby King écrit :

Masser la poitrine, la lotionner deux fois par jour à l'eau alternativement chaude et froide se révèle très efficace. On l'a amplement prouvé ces dernières années à l'hôpital Karitane Harris, en Nouvelle-Zélande. On s'est aperçu que ce traitement simple, accompagné d'une vie au grand air, de baignades, d'exercices physiques quotidiens, de repos et de sommeil autant que nécessaire, d'un rythme de vie régulier, d'une alimentation équilibrée, le tout en buvant beaucoup d'eau, suffit le plus souvent à rétablir l'allaitement au sein, dans les cas où il a complètement cessé, c'est-à-dire lorsque la tétée avait été abandonnée depuis des jours, voire des semaines.

On sait que, en l'absence de la tétée et des stimulations qu'elle engendre, l'hormone qui déclenche le réflexe de lactation, la prolactine, cessera d'être sécrétée par l'hypophyse en quantité suffisante, et l'ovulation, n'étant plus enrayée, reprendra. Pour tester si la production de prolactine continuerait sans la tétée, mais en maintenant les contacts corporels, sonores et visuels avec l'enfant, Moltz, Levin et Léon ont effectué une ablation chirurgicale des mamelles sur des rates qui ont ensuite été fécondées et ont accouché normalement. On les comparait avec des groupes témoins de femelles qui n'avaient pas été opérées, mais à qui on avait retiré les petits 12 heures après la naissance. Les résultats montrèrent que les femelles du groupe témoin commençaient à ovuler au bout d'une semaine en moyenne; un autre groupe, qui avait subi un simulacre d'opération, ovulait à 16 jours, et le groupe expérimental à 20 jours. Cette étude porterait à croire que, même en l'absence de tétée, les stimuli extéroceptifs de la vue, des sons, des odeurs et peut-être la « sensation » de la présence du bébé peuvent provoquer la sécrétion de prolactine en quantité suffisante pour inhiber l'ovulation pendant 16 à 20 jours.

Les stimulations cutanées mutuelles du couple mère-enfant se présentent très clairement comme une situation de développement réciproque, qui active les fonctions organiques de leurs corps respectifs, et leur conserve une vitalité optimale. Le sein, et surtout l'aréole, ont une grande sensibilité réflexogénétique. Lorsque l'excitation utérine est à son maximum — c'est-à-dire pendant le travail et juste après — stimuler le sein provoque des contractions très marquées, souvent même violentes. Pour autant qu'on le sache, le centre de ce mécanisme réflexogénétique se situe dans l'hypothalamus, qui déclenche la décharge d'ocytocine par l'hypophyse. C'est l'ocytocine qui commande les contractions de l'utérus, et les prolonge pendant tout le travail. C'est pourquoi on la tient pour responsable du déclenchement du processus de naissance. L'ocytocine, nous l'avons déjà vu, est aussi l'hormone libérée à profusion par la tétée dans la chaîne de réflexes qui aboutit à la lactation et à la montée du lait.

Nous voyons donc à quel point la tétée du sein de la mère par le bébé est bien adaptée à leurs besoins les plus immédiats à tous deux, particulièrement dans cette période délicate qui suit immédiatement la naissance.

Il est tout à fait remarquable que Erasmus Darwin — grand-père de Charles Darwin — ait émis l'hypothèse d'une relation entre l'allaitement au sein et le développement ultérieur du comportement. Dans un livre extraordinaire, *la Zoonomie ou les Lois de la vie organique*, publié pour la première fois en 1794, Darwin écrit :

> Toutes les formes de plaisir sont fondamentalement associées à la forme du sein maternel. Lorsque le bébé l'attrape de ses mains, le presse de ses lèvres, le regarde de ses yeux, il acquiert des notions plus précises sur la forme du sein de sa mère, que par la perception globale qu'il en a par ses autres sens, l'odeur, le goût et la chaleur. C'est pourquoi à l'âge adulte, quand notre regard se pose sur un objet dont les lignes courbes ou ondulantes présentent une similitude avec la forme du sein d'une femme, nous ressentons une vague de plaisir qui gagne tous nos sens; que ce soit devant un paysage avec des collines douces qui montent et descendent, ou devant la forme de certains vases antiques, ou d'autres œuvres dessinées à la plume ou ciselées. Et pour peu que l'objet ne soit pas trop gros, nous éprouvons le désir de le prendre dans nos bras, et d'y poser nos lèvres, comme nous le faisions dans notre prime enfance avec le sein maternel.

Celui qui a écrit les mots du psaume « je lèverai les yeux sur les collines, de là viendra mon salut » était peut-être sous l'influence de sensations précoces de cette nature.

Darwin fait remonter l'origine du sourire à l'expérience du nourrisson au sein de sa mère. Il écrit :

> Dans le geste de téter, le bébé garde les lèvres serrées sur le sein de sa mère tant qu'il se remplit l'estomac et que cette nourriture bienfaisante lui procure du plaisir. Ensuite, le sphincter de la bouche, fatigué par cette succion continue, se détend; les muscles antagonistes du visage se contractent alors doucement, et produisent le sourire de plaisir. On ne peut pas ne pas l'avoir remarqué lorsqu'on est un familier des enfants.
>
> Toute notre vie, ce sourire restera associé à un doux plaisir. On le voit aussi chez les petits chats et chiens lorsqu'on joue avec eux ou qu'on les chatouille. Mais ce sourire caractérise plus particulièrement les êtres humains. Chez les enfants, cette expression de plaisir est fortement encouragée par l'exemple des parents et amis, qui s'adressent généralement à eux en leur souriant, et que les enfants imitent. Ainsi, certains peuples sont connus pour leur exubérance, et d'autres pour la gravité de leur regard.

Pour une théorie sur l'origine du sourire, celle-ci est tout aussi bonne qu'une autre, d'autant qu'il n'a pas échappé à l'attention de Darwin que la facilité avec laquelle les gens sourient est en grande partie conditionnée par leur culture. Mais le fait que le sourire soit un signe universel de plaisir et d'amitié peut, au moins partiellement, devoir son origine au plaisir buccal et tactile que le nouveau-né éprouve sur le sein de la mère.

C'est par le contact physique avec sa mère que l'enfant établit son premier contact avec le monde. C'est par lui qu'il embrasse une nouvelle dimension de sa vie, l'expérience du monde de l'autre. Cette perception du corps de l'autre lui sera une source essentielle de confort, de chaleur et favorisera son ouverture à des situations nouvelles.

CHAPITRE IV

Tendresse, soins, amour (TLC[1])

> Sous sa caresse, j'étais un enfant,
> J'étais un homme lorsque corps à corps, nous
> [étions unis elle et moi,
> J'étais une âme, lorsque son âme me pénétrait,
> J'étais un Dieu vivant lorsque nos souffles atti-
> [saient notre sang,
> Jusqu'à ce que les ardeurs de l'amour nous
> [enflamment,
> Feux de la passion, désir divin[2].

Dans son livre, *Médecine psychosociale*, James L. Halliday écrit :

Les premiers mois qui suivent la naissance sont la prolongation directe de l'état intra-utérin ; l'enfant a donc besoin de maintenir un contact étroit avec le corps de la mère pour satisfaire les exigences de sa sensibilité kinesthésique et musculaire. C'est pour cela, qu'il faut porter le bébé bien fermement, l'allaiter régulièrement, le bercer, le caresser, lui parler, le rassurer. Avec la fin du règne des « nounous » et l'apparition de la voiture d'enfant, on a souvent oublié le besoin de contacts corporels. On s'aperçoit bien vite que le bébé réagit tout de suite au manque de contact, par exemple lorsqu'on le laisse seul allongé à plat sur une table. Il tressaille immédiatement ou il crie. Les mères anxieuses (quelle qu'en soit la cause) ont tendance lorsqu'elles tiennent un bébé à le tenir mollement, d'une façon mal assurée au lieu de le tenir avec fermeté et aisance ;

1. TLC ou Tender Loving Care désigne une attitude envers l'enfant qui consiste à donner la priorité à l a tendresse plutôt qu'à l'éducation. Michel Odent, dans son livre *Bien naître* (Le Seuil, 1976), conserve, même en français « le sigle un peu froid de TLC » que nous retiendrons donc dans ce chapitre. *(N.d.T.)*
2. D. G. Rosetti, « The kiss », in *The House of Life.*

ceci explique dans une certaine mesure le dicton selon lequel « des mères anxieuses engendrent des bébés anxieux », l'insécurité de la mère étant semble-t-il ressentie par le bébé. Privé du contact maternel habituel le bébé devient grognon, problème auquel on est confronté lorsqu'un bébé rentre de l'hôpital. Beaucoup d'entre nous qui ont été médecins internes dans les hôpitaux se sont toujours montrés quelque peu sceptiques sur l'importance accordée aux pleurnicheries des bébés; mais de récentes observations ont démontré qu'elles avaient une signification profonde et des conséquences pratiques bien réelles, puisque les bébés privés du contact habituel du corps de leur mère développent un état dépressif profond accompagné d'une perte d'appétit, d'une perte de poids et qui peut même entraîner la mort. A la suite de ces découvertes, on a demandé à des femmes volontaires de s'occuper des bébés grognons dans les hôpitaux pour enfants. Elles les prennent dans les bras, les bercent, les caressent, etc. On dit que les résultats sont spectaculaires.

Ces résultats furent bel et bien spectaculaires et il y a à ce sujet de bien belles histoires.

Au XIXᵉ siècle, plus de la moitié des enfants mouraient dans leur première année d'une maladie appelée *marasmus*, terme grec signifiant « dépérissement ». Cette maladie recouvrait également l'atrophie infantile ou la débilité. Jusque vers 1920, le taux de mortalité des enfants de moins d'un an dans tous les orphelinats des États-Unis s'élevait à presque 100%! Devant le désert affectif des établissements pour enfants, le docteur Henry Dwight Chapin, éminent pédiatre new-yorkais, inaugura en Amérique le système du placement des bébés à l'extérieur, au lieu de les confier à des institutions. Mais c'est le docteur Fritz Talbot de Boston qui introduisit l'idée de TLC[1], non pas dans les mots mais dans la pratique, à son retour d'Allemagne où il était allé avant la Première Guerre mondiale. En Allemagne, le docteur Talbot avait été reçu à la clinique pour enfants de Düsseldorf par son directeur le docteur Arthur Schlossmann, qui lui en avait montré toutes les salles. Les salles étaient très

1. Voir note du titre, p. 66.

soignées et très propres mais le docteur Talbot s'étonna à la vue d'une vieille femme, plutôt forte, portant sur la hanche un enfant très mal en point. « Qui est-ce? demanda le docteur Talbot. — Oh ça, c'est la vieille Anna, répondit Schlossmann, si un enfant ne guérit pas après que nous avons tout tenté sur le plan médical, nous le confions à la vieille Anna qui, elle, réussit toujours à faire quelque chose. »

Cependant, l'Amérique subissait toujours l'influence de l'enseignement dogmatique de Emmett Holt Sr, professeur en pédiatrie à la polyclinique de New York et à l'université de Columbia. Holt était l'auteur d'un petit livre, *les Soins et l'Alimentation des enfants*, publié pour la première fois en 1894 et qui, en 1935, en était à sa quinzième édition. Tant que dura la notoriété de Holt, cet ouvrage fit autorité dans les familles et devint le « Dr Spock » de son époque. L'auteur y recommandait de supprimer l'utilisation du berceau, et de ne pas prendre l'enfant dans les bras lorsqu'il pleurait, de le nourrir à heures fixes, de ne pas le gâter par trop de caresses et tout en privilégiant l'allaitement au sein, n'en rejetait pas pour autant l'usage du biberon. Dans un tel climat, l'idée de TLC était considérée comme tout à fait « non scientifique » et n'était même pas abordée.

Pourtant, comme nous l'avons vu, elle avait déjà obtenu droit de cité dès le début du XXᵉ siècle en plusieurs endroits, comme à la clinique pour enfants de Düsseldorf. C'est seulement après la Seconde Guerre mondiale, lorsqu'on chercha à découvrir les causes du marasmus, que l'on s'aperçut que le dépérissement sévissait aussi dans les « meilleurs » foyers, hôpitaux et institutions, parmi les enfants qui apparemment étaient le mieux suivis sur le plan physique. Il apparut clairement que certains enfants de foyers très défavorisés surmontaient dans bien des cas les handicaps physiques et s'épanouissaient en dépit de mauvaises conditions d'hygiène, lorsqu'ils avaient une bonne mère. C'était l'amour maternel qui manquait aux autres bébés, dans leur environnement aseptisé et dont bénéficiaient amplement ces enfants pauvres. Cela fut reconnu vers la fin des années vingt et plusieurs pédiatres des hôpitaux décidèrent d'introduire dans leurs services un régime régulier de soins maternels.

Dans son hôpital le docteur J. Brennemann décida que chaque bébé serait porté et pris dans les bras, promené, « materné » plusieurs fois par jour. A New York, à l'hôpital Bellevue où ce régime de soins maternels avait été institué dans les services de pédiatrie, le taux de mortalité infantile des moins d'un an tomba de 30-35 % à moins de 10 % en 1938.

On découvrit que pour s'épanouir l'enfant a besoin d'être touché, pris dans les bras, caressé, cajolé; il a besoin qu'on lui parle, même s'il n'est pas nourri au sein. Nous voulons insister ici sur l'importance du toucher, des caresses, des étreintes, car même si bien d'autres choses lui manquent, il semble que ce soient là les sensations sécurisantes dont il a besoin fondamentalement pour survivre et avoir un minimum de santé. On peut survivre à des privations sensorielles extrêmes dans d'autres domaines, comme par exemple à l'absence de lumière et de bruit si les stimulations sensorielles de la peau subsistent.

Quelques cas illustrent l'importance de la stimulation cutanée en l'absence de toute autre stimulation. Par exemple, lorsqu'un enfant perd l'usage de ses sens — la vue et l'ouïe — à la naissance ou juste après, ou encore dans le cas où l'enfant a été élevé dans une pièce sombre par une mère sourde-muette. Les exemples les plus dramatiques sont ceux de Laura Bridgman et de Helen Keller. Leur histoire est trop connue pour être à nouveau relatée ici, si ce n'est pour attirer l'attention sur les quelques points suivants : alors qu'elles avaient perdu à la fois la vue et l'ouïe, on put, après bien des efforts, communiquer avec elles au moyen de la peau; le toucher par la peau leur permit même d'appréhender le monde des humains dans sa totalité et de communiquer avec lui au plus haut niveau. Jusqu'à ce que chacune de ces enfants ait appris le langage digital — en d'autres termes la communication par la peau — elles étaient de fait complètement coupées de tout échange social avec les autres. Elles étaient isolées, et le monde dans lequel elles vivaient n'avait que peu de sens pour elles; il leur était presque impossible de s'intégrer socialement. Mais lorsqu'elles réussirent à apprendre le langage digital grâce aux patients efforts de leurs professeurs, le monde de la communication symbolique s'ouvrit à elles, et leur développement en tant qu'être humain social progressa rapidement.

Frédéric II (1194-1250), empereur d'Allemagne que l'on appelait à son époque *Stupor Mundi*, « merveille du monde », mais que ses ennemis décrivent dans des termes moins flatteurs, voulait...

> ... découvrir quelle langue les enfants parleraient et de quelle manière, si personne ne leur parlait auparavant. Aussi, ordonna-t-il à quelques mères et à quelques nourrices d'allaiter les enfants, de les baigner, de les laver mais avec l'interdiction absolue de leur parler; car il voulait savoir s'ils parleraient l'hébreu, la langue la plus ancienne, ou le grec ou le latin, ou l'arabe, ou peut-être la langue de leurs propres parents, de ceux qui les avaient fait naître. Il se donna toute cette peine pour rien, car les enfants mouraient les uns après les autres. En fait, ils ne pouvaient survivre sans être dorlotés, sans voir le visage tendre et joyeux de leur mère nourricière, sans entendre ses mots doux. Un enfant a de la peine à s'endormir, à se reposer sans ce qu'on appelle les « berceuses », ces chansons que chantent les femmes en balançant le berceau pour endormir les enfants.

« Ils ne pouvaient survivre sans être dorlotés... » Cette observation représente la première déclaration connue sur l'importance de la stimulation cutanée pour le développement de l'enfant.

Comme l'écrivait le docteur Harry Bakwin, un des premiers pédiatres à reconnaître qu'il était important de materner les enfants des hôpitaux, « ce sont les sensations de la peau et la sensibilité kinesthésique qui semblent être le plus important pour le jeune bébé. Les bébés sont tout de suite calmés par la parole et la chaleur et ils pleurent s'ils subissent une douleur ou s'ils ont froid. L'effet apaisant obtenu en sortant les bébés à l'extérieur est sans doute en partie dû au mouvement de l'air sur la peau ».

Cette allusion à la chaleur et à l'air met en évidence l'importance de la toute première sensation du nouveau-né, à l'instant même de son expulsion. La température intra-utérine du bébé est sans doute à peu près identique à celle de la mère, mais au cours de la naissance et pendant la période périnatale, la température du bébé est légèrement plus élevée que celle de la mère et varie entre 36,4 °C et 38,5 °C. La moyenne approchant 37,7 °C.

Le bébé pleure s'il est exposé momentanément à l'air froid, mais il n'en souffrira pas si cela ne se prolonge pas trop. Les bébés réagissent bien à la chaleur et mal au froid en période néo-natale. Un coup de froid peut les tuer. Normalement, la chaleur du corps de la mère communiquée au bébé le réconforte, au contraire l'absence de cette chaleur l'inquiète. Lorsque plus tard, dans la vie, nous parlons d'une personne « chaleureuse », par opposition aux personnes « froides », ce n'est pas, pensons-nous, une simple figure de rhétorique. Comme Otto Fenichel le disait :

> La chaleur des corps, en situation érotique en particulier, est liée aux premières expériences d'érotisme oral et constitue l'élément principal de la sensation sexuelle primaire. Toucher la peau du partenaire, ressentir la chaleur de son corps demeure une composante essentielle de toute relation amoureuse. Elle est particulièrement importante dans les formes primitives de l'amour où les personnes sont de simples instruments à obtenir du plaisir. Le plaisir intense que l'on retire de la chaleur et qui se manifeste souvent par une pratique névrotique du bain se rencontre habituellement chez les personnes qui présentent simultanément d'autres symptômes de tendances passives-réceptives, entre autres, l'instabilité de leur confiance en eux-mêmes. Pour ces personnes, avoir besoin d'affection signifie avoir besoin de chaleur. Ce sont des personnalités « glacées » qui « fondent » dans une ambiance chaleureuse et qui peuvent rester des heures assises dans un bain chaud ou sur un radiateur.

Le nouveau-né, même s'il est né avant terme, possède une grande capacité d'autorégulation de sa température; mais l'étendue de l'environnement thermique nécessaire à son confort et sa marge de neutralité sont moins grandes que celles de l'adulte. En effet, il est désavantagé par le volume relativement grand de l'espace d'où il tire sa chaleur par rapport à la petite masse de son corps, qui joue le rôle d'un accumulateur de chaleur (une masse qui absorbe de la chaleur). Hey et O'Connell ont examiné la zone thermique neutre chez les bébés habillés; ils en ont conclu qu'il fallait un environnement d'une température de 23,8 ºC sans aucun courant d'air pour reconstituer les conditions de neutralité thermique des bébés d'un mois élevés au berceau. Le bébé habillé est avantagé par rapport au bébé nu. La nudité du visage et de la tête, mais surtout du visage offre un lieu privilégié pour la transpiration nécessaire à l'évaporation de la chaleur. Elle sert également à recevoir l'air frais qui stimulera la respiration. D'après Glass et ses collaborateurs, couvrir les bébés qui sont nés très petits mais néanmoins en bonne santé facilite leur manipulation et renforce leur capacité immédiate et à long terme de résistance aux rigueurs du froid.

Il y a lieu de croire qu'il existe deux systèmes de sensibilité à la température, l'un à la chaleur, l'autre au froid, auxquels le nouveau-né est particulièrement réceptif. Comme les adultes, les bébés supportent mieux les températures extérieures élevées que les températures basses et ils préfèrent la chaleur au froid. Mais ce que nous ne savons pas, c'est quel rôle jouent précisément les toutes premières sensations de ces différences de température dans le développement ultérieur du bébé, sauf en ce qui concerne les coups de froid. Nous pouvons supposer que ce n'est pas négligeable.

La ou les sensibilités à la température sont d'une grande complexité qu'on est loin de bien comprendre. La réaction métabolique aux brusques variations de température peut être très dangereuse. Par exemple, Hey et ses collègues ont démontré qu'un bébé doit naître dans une pièce sans courant d'air et chauffée à 28,8-29,5 ºC. Mais, si on effectue une transfusion sanguine dans ces conditions, la température du corps du bébé diminue progressivement à moins que des mesures ne soient prises rapidement pour réchauffer le sang du donneur. On a de bonnes raisons de croire, comme ces chercheurs le suggèrent, que l'utilisation d'un sang trop froid provoquerait des troubles circulatoires lors d'une transfusion. Cela se vérifie souvent lorsqu'il s'agit de faire rapidement à un adulte une transfusion de sang stocké.

Le froid a un effet constringent sur les vaisseaux sanguins

et contribue également à ralentir la circulation sanguine; ce ralentissement aboutit à une accumulation de sang désoxygéné dans les capillaires, et conduit à une « cyanose », c'est-à-dire un bleuissement de la peau. La température modifie fortement ce phénomène : la chaleur l'accélère et le froid le ralentit.

La pratique qui consiste à baigner les bébés très peu de temps après leur naissance les expose souvent à des refroidissements surtout lorsqu'on enlève cette couche crémeuse, le *vernix caseosa*. Le vernix caseosa se compose d'une matière sébacée sécrétée par les glandes de la peau du bébé et qui protège les cellules épithéliales de sa peau. Dans le milieu liquide de la matrice, il sert d'isolant et préserve la peau du bébé du phénomène de macération. Après la naissance, le vernix caseosa sert à lutter contre les déperditions de chaleur et protège du froid. C'est pourquoi, certaines sommités médicales n'approuvent pas l'habitude de nettoyer cette substance crémeuse, surtout lorsque la température ambiante n'atteint pas 26,5 °C. De manière générale, il serait souhaitable de ne pas toucher à cette substance et de laisser le bébé auprès de la mère jusqu'à ce qu'elle soit prête à l'allaiter [1].

D'après les études d'Elder sur 27 enfants nés à terme et en bonne santé, la force du bébé lorsqu'il tète le sein est moins grande à 32 °C qu'à 26 °C. Cook découvrit que la capacité d'absorption de calories chez le bébé diminue lorsque la température environnante passe de 27 °C à 32 °C, et qu'elle augmente lorsque la température diminue de 32 °C à 27 °C. Ces observations font penser qu'on aurait bien besoin de réviser la pratique hospitalière habituelle qui consiste à envelopper chaudement les enfants au moment des repas.

Chez les mammifères, les mères font des efforts évidents pour tenir leur petit au chaud; de même chez les oiseaux, le comportement des couveuses témoigne de l'importance de la chaleur pour le développement des petits. En l'absence d'une couveuse ou d'une mère qui les réchauffe, les petits s'entassent pêle-mêle. Ce comportement caractéristique souligne plus encore

---

1. Ceci ne représente aucun problème particulier puisque le vernix caseosa a tendance à sécher rapidement à l'air.

leur besoin vital de chaleur, dont la meilleure source est le contact corporel.

C'est peut-être la température qui est à la base des modifications de l'organisme lorsqu'on manipule les petits. Schaeffer et ses collègues, par exemple, ont découvert que les rats dont on abaissait la température montraient la même chute d'acide ascorbique dans le sang que les rats qui ont été manipulés. Pour diverses raisons méthodologiques, on a critiqué les conclusions de ces chercheurs, sans pour autant nier que la température soit une variable qui a des effets multiples chez différents animaux.

Le contact d'une main froide n'est pas agréable, celui d'une main chaude l'est — constatation qui prouve que la sensation cutanée n'est pas simplement une affaire de toucher ou de pression, mais doit être, en partie, une réaction à la température. La caresse d'une main froide est rarement ressentie comme agréable, mais plutôt déplaisante, voire pénible. En clair, c'est la qualité de la stimulation cutanée qui fait passer le message. Un coup douloureux et pénétrant et une caresse tendre et gentille transmettent des messages différents, et les pressions exercées sur la peau font toute la différence entre une sensation douloureuse et une sensation agréable. C'est sans doute de cette façon que les bébés sont capables de reconnaître ceux qui les aiment bien.

C'est d'après la façon dont il est porté et par les messages qu'il perçoit sur les récepteurs musculaires de ses articulations plutôt que par les simples pressions sur sa peau, que le bébé sait ce que ressent pour lui la personne qui le tient. La peau fait partie de cette catégorie d'organes que l'on appelle « extérocepteurs », parce qu'ils captent les sensations extérieures au corps. Les récepteurs stimulés principalement par le corps lui-même sont désignés sous le nom de « propriocepteurs ». C'est à la fois par l'intermédiaire de sa peau et des propriocepteurs que le bébé perçoit les messages, émis par le mouvement des muscles, des tendons et des articulations de la personne qui le tient.

Les bébés sentent bien les différences de personne à personne; les adultes aussi, lorsqu'ils déduisent le caractère de quelqu'un d'après sa poignée de main. Évidemment, tous les bébés naissent dotés d'une sensibilité kinesthésique, que nous connaissons par des expériences, des observations et des anecdotes. Nous faisons très tôt l'apprentissage de cette sensibilité kinesthésique : de même que nous apprenons à parler parce qu'on nous a parlé, et que nous parlons de la façon dont on nous a parlé; de même, nous apprenons à réagir à la stimulation extéroceptive de la peau et aux stimulations proprioceptives des articulations et des muscles, principalement en fonction de nos toutes premières sensations et de notre conditionnement précoce.

C'est dans la relation interpersonnelle avec la mère, extéroceptivement, proprioceptivement, voire intéroceptivement, en particulier sur les récepteurs des voies gastro-intestinales — et cela est très important —, que l'enfant établit ses premières relations et ses premières communications. Sans doute cette période de conditionnement est-elle propice à la formation de nœuds d'hypertension. Ces moments d'hypertension se transforment par la suite en un *état* d'hypertension qui provoque des troubles des voies gastro-intestinales : colites, hypermotilité, ulcères et autres; l'hypertension affecte également le système cardiovasculaire sous forme de troubles cardiovasculaires psychogènes, le système respiratoire sous forme d'état asthmatique et bien sûr la peau par une grande variété de troubles.

Le nez, l'allaitement et la respiration

Les troubles psychocutanés du nez seraient un sujet de recherche très intéressant, mais je ne connais pas d'étude de quelque importance sur le sujet. Pourtant, il est clair, à voir les différentes façons dont les gens traitent leur nez, que le tout premier conditionnement a dû jouer un rôle déterminant sur leur comportement kinesthésique envers cette partie de leur corps. Les gens touchent leur nez, le caressent, l'aplatissent, le compressent, le tortillent, le frottent par en dessous, mettent leur index tout contre, l'égratignent, le massent, respirent fortement ou légèrement, dilatent leurs narines. Il serait abusif d'attribuer au conditionnement précoce toutes ces habitudes, mais, dans bien des cas, il ne fait aucun doute qu'elles ont d'une façon ou d'une autre quelque chose à voir avec le conditionnement cutané précoce. Le nez est le passage entre la vie et la mort. Cela, bien sûr, fait référence à ses fonctions respiratoires. Comme nous l'avons déjà vu, le développement correct de l'appareil respiratoire est subordonné dans une certaine mesure au nombre et à la qualité des stimulations cutanées vécues par le bébé. Les personnes qui ont manqué de stimulations cutanées dans leur enfance risquent plus d'avoir le souffle court, sont plus fragiles des voies respiratoires supérieures et plus sujettes aux troubles pulmonaires, que celles qui ont reçu suffisamment de stimulations cutanées. Il y a toute raison de croire que certaines formes d'asthme sont dues, pour le moins en partie, au manque de stimulation tactile précoce. La fréquence de l'asthme chez les personnes séparées tôt de leur mère est très élevée. Et prendre dans les bras une personne qui a une crise d'asthme peut soulager, voire interrompre sa crise.

Margaret Ribble a mis l'accent sur l'importance des sensations tactiles dans le processus de la respiration. Elle écrit :

> La respiration d'un nouveau-né est très légère, instable et insuffisante dans les semaines qui suivent la naissance. Or, elle est stimulée automatiquement et de façon définitive par la succion et le contact physique de la mère. Les bébés qui ne tètent pas vigoureusement ne respireront pas profondément, et ceux que l'on ne prend pas suffisamment dans les bras, en particulier s'ils sont nourris au biberon, présentent souvent des troubles respiratoires et des troubles gastro-intestinaux. Ils finissent par avaler de l'air et souffrent de ce qu'on appelle communément des coliques. Ils ont des troubles d'élimination et il leur arrive de vomir. Apparemment, le bon fonctionnement des voies gastro-intestinales, à ce premier âge, dépend en quelque sorte des stimulations-réflexes de la peau. Ainsi, le toucher de la mère a une incidence biologique très forte sur le développement harmonieux des fonctions respiratoires et nutritives de l'enfant.

Pour en rester à la question de la respiration même, avant d'aborder les problèmes du nez, organe principal de la respiration, on a déjà fait remarquer que l'air atmosphérique s'engouffre dans les poumons encore tout fripés du nouveau-né dès qu'il arrive à l'air libre; les changements de pression divers qui surviennent au moment de la naissance aident à déclencher les mouvements respiratoires de type postnatal, qui se perpétuent ensuite tout au long de la vie. Le besoin de respirer est si impératif qu'un arrêt de trois minutes suffit souvent à provoquer la mort. Chez l'homme, l'impératif de respirer est, de tous les besoins vitaux, le plus indispensable et le plus automatique. L'apprentissage de la respiration est angoissant. Chaque souffle, même chez l'adulte, est précédé d'une peur de défaillir. Dans des situations douloureuses, beaucoup de gens éprouvent des difficultés à respirer, comme s'ils retrouvaient celles qu'ils avaient connues à la naissance. Souvent, dans de telles circonstances, ils régressent vers des réactions et des positions fœtales. En cas de peur, la première fonction à être affectée est la respiration. Cependant, en dépit de leur automatisme, le souffle et la respiration sont contrôlables, volontairement et consciemment pendant de courts instants, comme le sait toute personne qui a un jour pris des leçons de chant. De fait, nous maîtrisons notre respiration dans des activités courantes, telles que parler, avaler, rire, éternuer, tousser, téter. En effet, respirer n'est pas seulement un processus physiologique, c'est aussi un comportement de l'organisme.

Étant donné les différences non négligeables qui existent entre les classes sociales dans la façon de respirer, on doit admettre que bien des composantes de la respiration sont socialement apprises. On trouve beaucoup plus fréquemment dans les classes populaires que dans les classes supérieures de la société des gens qui ont une respiration lourde, ronflante, ou qui aspirent bruyamment leur soupe ou leur café. Dill a démontré que les différences dans le degré de respiration et dans la capacité des poumons à assimiler l'oxygène étaient en corrélation étroite avec le statut professionnel. La respiration étant en grande partie une habitude acquise, un adulte aura une respiration profonde et saine ou au contraire le souffle court et superficiel avec des sensations de fatigue chronique, selon les premières sensations cutanées qu'il a reçues.

Pour en revenir aux problèmes du nez, il est possible que les différentes manières dont on traite le nez au cours de sa vie, y compris l'habitude de se mettre les doigts dans le nez, soient liées, elles aussi, aux premières expériences de l'allaitement, en particulier de l'allaitement au sein. Lorsque le bébé tète, son nez est souvent en contact avec la poitrine de la mère, et ces sensations rhinales, qu'elles aient été agréables ou non, ont sans doute quelque chose à voir avec les manipulations ultérieures du nez. La plupart des singes se mettent les doigts dans le nez, et souvent ils mangent les débris qu'ils en ont retirés. Les petits enfants le font quelquefois, et on sait que certains adultes le font également. La relation entre se curer le nez et manger fait penser en l'occurrence à la possibilité d'une certaine forme de conditionnement précoce; le simple fait de se mettre les doigts dans le nez peut être une forme d'autorécompense régressive vers cette période des premières sensations. « La vie privée est à mettre au-dessus de tout... s'asseoir simplement à la maison, se mettre les doigts dans le nez en regardant le soleil couchant », écrivait l'auteur russe V.V. Rozanov.

Pour la plupart des gens, le nez nécessite un grand nombre de manipulations, parce qu'il est souvent irrité et qu'il est porteur de microbes de toute sorte. Mais on ne saurait attribuer à l'irritation microbienne toutes ces manipulations, et en particulier le fait de se mettre les doigts dans le nez; ce sujet vaudrait la peine d'être approfondi.

Si on compare le nez à une péninsule, il se présente comme une partie de l'individu que l'on peut facilement saisir de la main, caresser ou manipuler de différentes manières, avec cette sensation rassurante de pouvoir établir un contact, ne serait-ce qu'avec soi-même. Le nez semble être une partie du corps particulièrement prisée pour se sécuriser. Nous considérons souvent ces gestes comme des signes de nervosité chez les autres, sans être conscients des nôtres.

« Faire un pied de nez » à quelqu'un, ou lui « rire au nez » sont considérés comme des comportements de mépris.

On sait maintenant que les lèvres sont des zones érogènes, c'est-à-dire structurées pour donner du plaisir, bien avant que le bébé ne soit né. On a observé des fœtus de 5 mois ou même moins, en train de sucer leur pouce dans la matrice. Les sensations vécues au contact du sein ou du biberon sont très différentes, et renforcent plus tard la qualité érogène des lèvres. Téter est l'activité principale du bébé au cours de la première année de sa vie, et ses lèvres, constituées par le prolongement externe de la muqueuse qui ourle sa bouche, lui font expérimenter ses premières sensations. Il assimile ainsi énormément de choses du monde extérieur qui ont une importance vitale pour lui. Les lèvres, la bouche, la langue, les sens de l'odorat, de la vue et de l'ouïe sont tous intimement liés les uns aux autres et en relation avec l'expérience de l'allaitement. Téter au sein et téter au biberon sont deux sortes d'expériences très différentes. Les recherches en la matière ont quelquefois abouti à des conclusions contradictoires, en ce qui concerne les avantages de l'allaitement au sein sur l'allaitement au biberon, et les effets de chaque régime sur le comportement ultérieur. Quoi qu'il en soit, il est évident que l'important, pour le comportement futur du bébé, c'est surtout et avant tout l'attitude de la mère pendant l'allaitement, plutôt que le mode d'allaitement lui-même. Si une mère est froide et indifférente, elle peut nourrir son enfant au sein sans qu'il s'en trouve mieux dans son comportement ultérieur qu'un enfant nourri au biberon par une mère affectueuse et chaleureuse. C'est du moins ce qui ressort des observations du docteur Martin I. Heinstein, lors de ses recherches sur 252 enfants de Berkeley, en Californie.

Comme nous avons déjà eu l'occasion de le voir, le bébé réagit très vite à l'attitude de sa mère envers lui, et l'important dans le développement de son comportement n'est pas tant le mode d'allaitement que la façon dont il est nourri. Ce sont précisément ces sensations qui vont être enregistrées par la peau et par les lèvres dans leurs structures spécialisées de muqueuses et de membranes. Les enfants dont la mère n'a pas été assez tendre, ou dont on ne s'est pas suffisamment occupé, rechercheront-ils davantage les plaisirs procurés par une excitation des lèvres que ceux dont la mère était affectueuse et tendre? C'est une question à laquelle je ne connais pas de réponse scientifique. Les variantes dans ce domaine comme dans d'autres sont extrêmement nombreuses et certainement assez complexes. C'est un jeu fréquent chez beaucoup d'enfants de se triturer les lèvres avec les doigts tout en émettant un gargouillement qui accompagne les mouvements des lèvres et des doigts. Il est évident qu'ils éprouvent du plaisir à le faire. Je suppose que ce n'est pas seulement le fait de sucer son pouce ou un autre doigt qui est satisfaisant, mais aussi le plaisir procuré par la stimulation des lèvres. Souvent la main du bébé repose sur le sein de la mère pendant qu'il tète, ou sur le biberon, s'il est allaité au biberon; ses yeux suivent tous les mouvements du visage de sa mère; il se familiarise avec les sons que tous deux, elle et lui, émettent pendant l'allaitement. Il n'est pas difficile de comprendre que toutes ces impressions sensorielles s'intègrent très étroitement dans un réseau de développement neuropsychique. Ainsi, lorsque plus tard, dans sa vie, l'homme s'adonne à l'habitude de la cigarette, on peut, du moins en partie, présumer qu'il s'agit d'une régression vers un ensemble de plaisirs identiques à ceux qu'il a dû connaître au tout début de sa vie. L'excitation de la lèvre, le fait de sucer et de tenir la cigarette, le cigare ou la pipe, de rejeter la fumée, de la voir, de l'aspirer, de la sentir, de la goûter, tout cela est source de plaisirs — même si, à long terme, les effets peuvent être mortels.

De nombreux chercheurs ont estimé que les premières sensations des lèvres et de la bouche constituent pour beaucoup de gens la clé de leur épanouissement futur. Le grand psychologue américain, G. Stanley Hall, pense que la bouche et le goût sont les premiers centres de vie psychique, associés à « un plaisir tactile essentiellement esthétique, qui s'éveille en portant à la bouche des choses douces ou dures au contact des gencives encore dépourvues de dents ».

On sait bien que les sensations vécues par la mère lors de l'allaitement sont apparentées aux stimulations sexuelles; de même, il est très probable que les sensations du bébé, chargées de significations, ressemblent à ce qui sera plus tard des satisfactions sexuelles. Nous avons noté précédemment que des soins maternels insuffisants peuvent affecter sérieusement le comportement sexuel ultérieur des enfants. Les Harlow, à qui nous devons cette observation, ont également démontré que les singes rhésus élevés par une vraie mère montraient un comportement social et sexuel plus évolué que ceux élevés par des substituts maternels construits en métal recouvert de laine; ces derniers se développaient parfaitement sur le plan social et sexuel, à condition de pouvoir jouer chaque jour dans l'ambiance stimulante des autres bébés singes. Les Harlow ont souligné, à juste titre, qu'il ne faut pas sous-estimer le rôle des relations entre bébés, lesquelles sont déterminantes pour la socialisation des adolescents et des adultes. D'après les Harlow, le réseau affectif de bébé à bébé « est essentiel pour que l'animal réagisse favorablement au simple contact physique d'un de ses congénères; et c'est grâce au fonctionnement de ce système que le singe, et probablement aussi l'homme, expérimentent, identifient et habituellement acceptent leur rôle sexuel ».

Si l'on en croit les Harlow, il est sans doute vrai que les contacts entre bébés sont nécessaires au complet développement du comportement sexuel et social; mais en l'absence totale d'une mère ou d'un substitut quelconque, le contact d'autres bébés ne suffira pas à construire un comportement aussi harmonieux que celui des enfants entourés de soins maternels. Chez l'homme, de nombreux individus n'ont pas fondamentalement souffert dans leur développement social et sexuel de l'absence de contacts avec d'autres bébés. Alors qu'il existe un nombre considérable de textes qui démontrent l'énorme importance du comportement de la mère sur le développement ultérieur du comportement social et sexuel de l'enfant. Toute preuve à l'appui, on peut affirmer raisonnablement que, quelle que soit la valeur du rapport affectif entre bébés, elle ne vaudra jamais l'action bienfaisante de la relation affective qui unit le couple nourricier, à condition bien sûr que l'affection de la mère soit authentique.

Comme Yarrow le dit dans une excellente étude à ce sujet :

> La mère, en tant que stimulus social, fournit à son enfant des stimulations sensorielles, tactiles, visuelles et auditives, à tout instant : lorsqu'elle le porte, le serre contre elle, joue avec lui, lorsqu'elle lui parle, ou simplement lorsqu'elle est visuellement présente.

Être privé de ce genre de stimulations sensorielles a de graves conséquences.

Dans la première page de ce livre, nous disions que l'embryon humain réagissait à la stimulation tactile, en premier lieu par la région buccale. Il n'est donc pas étonnant de constater que c'est par les lèvres et la bouche que l'enfant établit ses premières communications avec le monde extérieur, et cela très progressivement. La stimulation de la région buccale déclenche chez le nouveau-né le réflexe d'orientation orale, c'est-à-dire le réflexe d'ouvrir la bouche et de tourner la tête dans la direction du stimulus. Ce réflexe survient lorsqu'une lèvre est stimulée. Lorsque ses deux lèvres sont stimulées, l'enfant a le réflexe de happer et d'agripper le stimulus. Le stimulus, en l'occurrence, c'est souvent le mamelon et l'aréole du sein de la mère. Par la suite, chaque fois que le bébé entre en contact avec le sein ou toute autre chose qui lui ressemble, il aura le réflexe de s'y enfouir, de fouiller du nez et de la bouche, comme pour trouver le sein. Ces deux activités-réflexes, l'orientation orale et la préhension par les lèvres, sont les deux étapes du développement de ce comportement fouineur. L'intégration de ces deux réflexes dans le geste de happer pendant l'allaitement représente l'un des premiers progrès que fait le nouveau-né dans sa façon d'appréhender le monde en général et en particulier. En d'autres termes, ces deux réflexes sont les fondements du désir d'exploration d'une part, de l'orientation orale et de la tétée, d'autre part. Le geste des lèvres qui enveloppent le mamelon et l'aréole du sein — comme plus tard celui des mains qui pressent le sein, s'y accrochent ou s'y reposent — est, selon Spitz, l'archétype précurseur des relations aux objets.

« Se lécher les babines » est une vieille expression de satisfaction. Or, les femelles babouins font claquer les babines dans le but de calmer leur petit ou d'autres babouins.

> Lorsqu'elle soigne son petit, écrit Irven DeVore, la mère n'émet d'autre son que celui de faire claquer doucement ses lèvres. Dès la naissance, la mère apprend à son petit à faire claquer ses lèvres, et ce geste est le plus fréquent et le plus important de tous ceux que l'on observe chez les babouins. Pour tous les babouins, quel que soit leur âge et leur sexe, il exprime la tranquillité et sert à réduire les tensions dans les échanges sociaux.

Les membres d'une tribu de babouins sont généralement très effrayés par l'approche d'un mâle; c'est pourquoi lorsqu'un mâle s'approche d'un bébé babouin et de sa mère, il le fait en claquant des lèvres très vigoureusement. Pour appeler son bébé, lorsque par exemple il a grimpé au haut d'un arbre, la mère regarde intensément dans sa direction et fait vibrer ses lèvres bruyamment.

Chez les humains aussi, les mères émettent souvent toute sorte de sons en pinçant les lèvres, pour rassurer leur bébé. Les bébés réagissent presque toujours avec plaisir à ces sons apaisants. C'est également un moyen très efficace pour les amener à rire lorsqu'ils pleurent, au point qu'ils en attrapent le hoquet quelquefois. A 6 mois et même plus tôt, l'attention du bébé est immédiatement attirée par ces bruits, qui le rassurent et le tranquillisent par leur simple présence. Cela nous permet de supposer que l'enfant identifie les sons et les lèvres qui les produisent à des sensations agréables.

Le bébé est fondamentalement conditionné par les nombreuses sensations que lui procurent les lèvres de sa mère, lorsqu'elle l'embrasse, le caresse, le réconforte et par toutes les marques d'affection qu'elle lui donne.

Le toucher et la sensibilité

Le comportement fouineur du bébé est exploratoire, observateur, et a pour but final de trouver et de retenir entre les lèvres le bout du sein et l'aréole. Plus tard dans son développement, il cessera de fouiner et se mettra plutôt à observer visuellement. Le geste de fouiner n'en reste pas moins important, car il constitue entre autres choses la re-vérification, la ré-affirmation de l'existence de l'autre comme source de plaisir, plaisir que la mère procure par sa seule présence, par sa tangibilité. La tangibilité de la mère est ce qui rassure le plus l'enfant, car, en fin de compte, nous ne croyons à la réalité d'une chose que lorsque nous la touchons du doigt. Nous avons besoin d'une preuve

tangible. Même la foi reposes ur une croyance en la matérialité
des choses à venir et des événements passés. Tout ce que nos
autres sens nous font percevoir de la réalité n'est rien d'autre
qu'une hypothèse à vérifier par le toucher. Le toucher témoigne
de la « réalité objective », des choses qui me sont extérieures,
qui ne sont pas moi.

« Il est clair, note Ortega y Gasset, que la forme décisive
de notre relation aux choses est le toucher. Et, s'il en est ainsi,
le toucher et le contact sont nécessairement les éléments les
plus décisifs que nous utilisons pour définir la structure de
notre monde. » Ortega poursuit en disant que le toucher est
différent des autres sens, car il implique toujours la présence
conjointe et inséparable du corps que l'on touche et de notre
propre corps, avec lequel nous touchons. Contrairement à la
vue et à l'ouïe, le toucher nous fait ressentir les choses à l'intérieur de nous-mêmes. Goûter et sentir sont des sensations
limitées à la surface de la cavité nasale et au palais. Par le toucher,
nous prenons conscience que notre monde se compose de pré-
sences, d'objets qui sont des corps. Ce sont des corps, car ils
entrent au contact de l'homme dans ce qui lui est le plus proche,
son « moi », c'est-à-dire son corps.

Pour l'enfant, le contact des lèvres, des mains, des doigts
sur la poitrine de sa mère met le monde à la portée de sa main,
au sens propre du terme. A travers la preuve tangible du corps
de sa mère, il va prendre conscience de son propre corps
et du corps de sa mère; ce sera son premier rapport aux
choses extérieures. On ne saurait trop répéter que c'est par
l'intermédiaire de sa peau et des sensations qu'elle lui procure,
que l'enfant, à tâtons, parviendra à établir ses relations extérieures.

Les premières perceptions s'organisent autour de la tétée,
source de multiples sensations cutanées et tactiles. Ribble
explique : « Grâce aux soins maternels, l'enfant combine et
coordonne peu à peu la tétée ou la prise de nourriture avec
le développement de ses sens, la vue, l'ouïe et le toucher. Ainsi
s'établit un ensemble franchement complexe de comportements. »
Le mouvement des lèvres du nourrisson sur le sein de sa mère,
les progrès qu'il fait en observant le visage et les yeux de sa

mère, les mouvements des mains et des doigts qui explorent le corps de sa mère, toutes les sensations associées à ces expériences permettent au bébé d'établir un code, grâce auquel il peut reconstituer et reproduire toutes ses expériences et les sensations qui y sont associées. A partir de sa connaissance du corps de la mère, le bébé peut émettre des signaux susceptibles de provoquer les réponses qu'il souhaite. Il apprend à connaître son corps sur la base de tout ce que lui ont appris sa peau, ses lèvres, sa langue, ses mains et ses yeux lors de sa découverte du corps de la mère. C'est avec ses mains qu'il prend connaissance de son propre corps. En fait, les premiers efforts pour se percevoir comme un tout commencent dès les sensations orales au sein de la mère. La langue joue un rôle primordial dans ce processus car, à ce stade précoce, elle n'est encore qu'un organe entièrement tactile, complètement dévolue à l'aptitude de goûter.

Que signifie donc cette habitude de tirer la langue à quelqu'un pour exprimer son mépris? Cela veut-il dire « je ne vous aime pas » ou « je me moque pas mal de vous », sentiments exactement opposés au plaisir que l'on éprouve par la langue au contact du sein maternel?

Dans le cerveau, la superficie correspondant aux lèvres dans le gyrus central du cortex est très grande, disproportionnée par rapport à celle consacrée aux autres structures qui y sont associées (voir figure 1, p. 12). Il en est de même pour chacun des quatre doigts et pour le pouce, ce qui nous amène à examiner le rôle de la main et des doigts dans le développement du sens du toucher. L'expression même « le sens du toucher » en est venue à signifier presque exclusivement : sentir avec les doigts et la main. En fait, quand on considère les différentes utilisations du mot « toucher » dans la conversation courante, on s'aperçoit que la plupart de ses significations sont des extensions du sens « toucher de la main, toucher du doigt ». Lorsqu'on consulte un dictionnaire, il est intéressant de constater que la rubrique concernant les différentes significations du mot « toucher » occupe souvent la place la plus importante du volume. C'est de loin l'article le plus long — quatorze colonnes complètes — dans le somptueux dictionnaire *Oxford English*. C'est là une sorte de témoignage de l'influence qu'ont eue les sensations tactiles des mains et des doigts sur notre imagerie et sur notre langage.

Le mot « toucher » est à l'origine dérivé du vieux français « touche ». Le dictionnaire *Oxford English* le définit comme « l'action ou l'acte de toucher (de la main, du doigt, ou avec toute autre partie du corps); la faculté de sentir un objet matériel ». Le toucher se définit donc comme « l'action ou l'acte de sentir quelque chose de la main, etc. ». La forme active du mot est « sentir ». Bien que le toucher ne soit pas en soi une émotion, ses éléments sensoriels induisent des changements d'ordre nerveux, glandulaire, musculaire et mental, qui l'apparentent à une émotion. Pour cette raison, le toucher n'est pas ressenti comme une simple modalité physique, une sensation, mais effectivement comme une émotion. Quand nous disons que nous avons été touché, en particulier par un beau geste ou par un acte de sympathie, c'est l'état d'émotion que nous désirons décrire. Et quand nous parlons d'une personne « touchée au vif », il s'agit là encore d'émotion. Le verbe « toucher » signifie aussi être sensible aux sentiments humains. Être « chatouilleux » veut dire être hypersensible. « Rester en contact » veut dire rester en communication avec quelqu'un, quelle que soit la distance. A l'origine, c'est à cela que devait servir le langage : permettre à l'homme de rester en contact avec son prochain. Les sensations que l'enfant éprouve au contact du corps de sa mère constituent son premier mode de communication, son premier langage, son premier contact avec les autres êtres humains, l'origine du « tact humain ».

Le dictionnaire *Oxford English* explique que « le toucher est le sens corporel le plus généralisé, diffus sur toute la peau. Chez l'homme il est particulièrement développé aux extrémités des doigts et sur les lèvres ». C'est par les lèvres que le bébé appréhende la réalité, c'est par là qu'il avale les substances nécessaires à la constitution de son corps. Pendant un certain temps, les lèvres seront pour le bébé son seul moyen d'appréciation. C'est pourquoi, dès qu'il le peut, il porte à ses lèvres les objets pour les définir ou les reconnaître, et continue à le faire, même après avoir acquis d'autres moyens de perception et de jugement. Les autres moyens de perception et de jugement dont il dispose en fin de compte sont ses mains, le bout des doigts et la paume de la main, ses mains qui lui ont déjà servi à palper le sein toujours rassurant de la mère. A la naissance, les sens du bébé sont si peu développés qu'ils lui fournissent très peu d'informations de valeur. Le bébé dépend entièrement de son sens du toucher : des lèvres et du contact corporel en général, des extrémités de ses doigts et de toute la main ensuite. Reva Rubin, titulaire de la chaire du département d'obstétrique et de puériculture de l'université de Pittsburg, l'a très bien décrit. Elle constata une certaine progression, une succession méthodique dans la nature et le nombre des contacts de la mère avec son enfant. Elle s'aperçut que la mère évoluait dans ses contacts, commençait par des points de toucher très localisés, puis plus étendus, en ne se servant tout d'abord que de l'extrémité des doigts, puis de ses mains, y compris la paume, et beaucoup plus tard de ses bras, comme prolongement de tout son corps.

Reva Rubin fait remarquer que lors de cette phase de découverte entreprise du bout des doigts, l'investissement affectif reste faible. Comme lorsqu'on fait sa cour, on n'est jamais sûr de la façon dont on sera reçu. Cela est vrai, au stade des tentatives d'approche, avant que l'heure de la confiance réciproque, main dans la main, et des serments, n'ait sonné. Dans le toucher maternel aussi, le stade de l'effleurement précède celui de la pleine confiance. Cette confiance semble éveiller une réponse personnelle et expressive du bébé. Quelquefois il émet un petit cri, plus souvent il se blottit d'une façon particulière, et à 3 mois il exprime un plaisir infini. Cette réponse doit venir du bébé lui-même et de personne d'autre pour qu'il acquière dans cette relation le sens des rapports humains et de leur réciprocité. Différents signes de satisfaction peuvent faire plaisir à la mère. Il faut également signaler qu'elle est à cette époque-là très vulnérable aux signes de rejet. Mais lorsque la jeune mère a une solide constitution psychique, elle reste confiante et relève tous les signes positifs d'une relation affective et réciproque qui se construit.

Peu à peu, le toucher maternel évolue. Maintenant, la mère utilise toute la main dans un contact maximal avec le corps du bébé. Elle soutient plus volontiers les fesses du bébé avec la paume de la main. Elle lui caresse le dos de toute sa main. Les mains de la mère reposent, détendues et accueillantes, exprimant son amour pour l'enfant. Le bébé reçoit ce message avec un sentiment de sécurité qui l'amène à réagir favorablement à ce contact ferme et réconfortant. Sa sensation de confort vient du toucher et des sensations intéroceptives qu'il éprouve dans cette relation réciproque.

C'est quelquefois entre le 3e et le 5e jour que la mère passe de l'effleurement aux caresses avec la main tout entière légèrement repliée sur la tête de son bébé. Son propre langage corporel progresse peu à peu, alors qu'elle lave du bout des doigts la région anogénitale du bébé; c'est-à-dire, qu'elle passe de la phase exploratoire où elle découvre à celle de l'usage de toute la main où elle s'implique de façon plus intime.

Klaus et ses collègues ont étudié le comportement maternel de 12 femmes, considérées comme normales, lors du premier contact postnatal avec leur bébé nu, venu à terme et présentant un aspect normal; on les observa entre la première demi-heure et la treizième heure après leur accouchement.

Parallèlement, Klaus observa 9 femmes qui venaient d'accoucher d'un prématuré, dans leurs trois premiers contacts tactiles avec leur enfant. Les mères des bébés nés à terme progressaient méthodiquement dans leurs attouchements. Elles commençaient par effleurer du bout des doigts les mains et les pieds du bébé, puis au bout de 4 à 8 minutes se mettaient à le masser et à lui toucher le corps de toute la paume. Cette progression rapide, en 10 minutes, de l'effleurement au contact de toute la main, ne correspond pas exactement aux observations de Reva Rubin. Celle-ci pense plutôt que l'utilisation de la paume et les contacts étroits ne se développent qu'après plusieurs jours, alors que d'après les observations de Klaus, dès les 3 premières minutes 52 % des mères effleuraient leur bébé du bout des doigts et 28 % le touchaient de la paume. Et dans les 3 dernières minutes, il n'y avait plus que 26 % des mères pour toucher leur bébé du bout des doigts, alors que 62 % d'entre elles le prenaient dans les mains. Dès le premier contact, les mères s'attachaient fortement à établir un contact visuel, les yeux dans les yeux.

Les observations de Reva Rubin et de Klaus laissent penser

qu'il existe un comportement propre à notre espèce dans le premier contact mère/enfant. Klaus écrit : « C'est parce que cette période semble si cruciale, qu'il faudrait réviser sérieusement les pratiques sociales modernes et celles des hôpitaux, qui de nos jours séparent pendant de longues périodes la mère de son bébé, lorsqu'il est malade ou prématuré. »

Il a été prouvé que les bébés prématurés se portent mieux lorsque leur mère est autorisée à s'occuper d'eux; il suffit de prendre quelques précautions : se laver les mains, porter un masque et un vêtement protecteur. Barnett et ses collaborateurs de l'école de médecine de l'université de Stanford ont encouragé 41 mères à prendre dans les bras et manipuler leur bébé prématuré à n'importe quelle heure du jour et de la nuit. Toutes les personnes concernées — les bébés, les mères, les infirmières et les docteurs — s'en trouvèrent considérablement mieux. Il n'y eut pas d'augmentation des infections les plus redoutées, ni aucune autre sorte de complications. D'autres chercheurs ont constaté la même chose. Un éditorial du *British Medical Journal* (6 juin 1970), commentant ces observations, disait sagement :

> La période qui suit immédiatement le postpartum est sans doute la période la plus importante pour le premier contact de la mère et de son bébé, exactement comme chez les animaux. La plupart des mères (mais certainement pas toutes) ressentent immédiatement le besoin de toucher la peau de leur bébé dès qu'il est né; elles pensent qu'il est important d'être totalement conscientes et non sous anesthésie au moment de la délivrance, et elles veulent immédiatement donner le sein.
>
> Personne n'a encore prouvé qu'il est souhaitable pour la mère et pour le bébé prématuré d'établir ce contact étroit immédiatement après la naissance ou plus tard pendant la période d'hospitalisation, ni que l'absence de ce contact soit néfaste. On ne peut pas tout prouver, et il n'est pas nécessaire de tout prouver. On dépense beaucoup de temps et d'énergie à prouver des choses pour le seul plaisir de les prouver. Ces choses, importantes en elles-mêmes, ne méritent pas toujours d'être démontrées, sans doute parce que la réponse semble évidente. Dans certaines circonstances, les décisions médicales doivent être prises sur la base du bon sens et de ce qui semble naturel et normal.

Nous avons besoin de prendre pleinement conscience, mieux que nous ne l'avons fait jusqu'à présent, du fait que l'enfant acquiert ses repères d'après le comportement de la mère à son égard. Bateson et Mead constatent qu'à Bali...

... dans la plupart des villages, l'enfant est porté soit négligemment sur la hanche, soit dans une écharpe comme à Bajoeng Gede; mais même lorsque la main de la mère remplace l'écharpe, l'attitude du bébé reste la même, passive, accordant ses mouvements à ceux de la mère dans une mollesse totale. Il lui arrive de dormir, la tête ballottant au rythme de sa mère qui pile le riz. Le bébé apprend à faire confiance au monde extérieur, ou à le craindre, à partir du contact direct avec le corps de sa mère; bien que la mère ait appris à sourire à l'étranger et à échanger des paroles de politesse avec les représentants de la caste supérieure, le bébé qui hurle dans ses bras trahit sa panique intérieure, sans qu'elle ait laissé transparaître sur son visage la moindre trace de peur, cachée sous un sourire artificiel.

On a déjà parlé des moyens kinesthésiques qui permettent à l'enfant de ressentir les états d'âme de sa mère, sans tenir compte de son comportement extérieur. Ce phénomène est universel. L'enfant répond ainsi aux messages que lui transmettent les articulations musculaires de sa mère.

Saisir et apprendre

A voir les mouvements exploratoires des mains de l'enfant, il est évident qu'elles jouent un rôle important dans la découverte des formes et des contours du monde dans lequel il évolue. Il est fascinant d'observer comment un petit bébé tape dans ses mains, paume contre paume, d'abord comme un réflexe, puis avec un plaisir évident. Serait-ce là l'origine des applaudissements par lesquels on exprime sa joie ou son approbation [1]?

1. Sur ce problème, voir M. Mead et F. C. Macgregor, *Croissance et Culture*, New York, G. P. Putnam's et Fils, 1951, p. 24-25.

A 2 ou 3 mois, la préhension du bébé est en grande partie réflexe. Ce n'est pas avant 20 semaines qu'il est capable d'attraper volontairement un objet, et encore cette préhension se développe-t-elle en plusieurs étapes : 1. le stade cubital (préhension par le côté de l'auriculaire) pendant les premiers mois; 2. le stade radial (préhension par le côté du pouce); 3. et enfin, vers 9 mois l'enfant arrive au stade de l'opposition du pouce aux autres doigts. A 6 mois, le bébé fait passer un objet d'une main à l'autre. Il joue avec ses orteils et porte tout ce qu'il trouve à la bouche, comme pour le vérifier. Il abandonne ce geste vers la fin de la première année. Ensuite, l'enfant progresse rapidement; il devient plus précis dans ses manipulations, et à 3 ans, il peut s'habiller et se déshabiller lui-même.

Il réussit des prouesses d'habileté grâce à ce qu'il a appris par la peau, les muscles et les articulations de sa mère, dans les relations mère/enfant et dans les expériences qui y sont associées. Son apprentissage se fait par la répétition qui donne à chaque acte plus de force. Le bébé est constamment stimulé dans son effort par les récompenses agréables que sa mère lui prodigue. Plus la satisfaction est grande et plus l'association entre le stimulus et sa réponse est forte. Le contraire est également vrai : plus le malaise est grand et moins l'association se fait [1].

Dans son étude sur les enfants de Bali, Margaret Mead a décrit de manière brillante cet apprentissage par les sens. A Bali, les bébés passent le plus clair de leur temps, pendant les deux premières années, dans les bras puis sur la hanche d'une tierce personne qui tient à peine compte de leur présence. Le bébé est porté, amplement enveloppé dans un linge que l'on ramène quelquefois sur son visage, lorsqu'on est dans la maison et que la mère, le père ou un enfant plus âgé le porte à l'épaule. Le bébé passe du sommeil à l'état de veille sans quitter les bras de sa mère. A l'âge de 2 mois environ, toujours dans son écharpe, l'enfant est posé à califourchon sur la hanche, solidement atta-

---

1. E. L. Thorndike, *L'Intelligence de l'animal*, New York, Macmillan, 1911, p. 244. Pour plus de renseignements sur la théorie de l'apprentissage, voir A. Montagu, *Les Voies du développement humain*, nouvelle édition, New York, Hawthorn Books, 1970, p. 317-345.

ché au corps de celui qui le porte. La mère se sent libre de ses mouvements pour piler le riz, sans avoir à prêter spécialement attention au bébé. Celui-ci apprend à se conformer à tous les mouvements de sa mère. S'il s'endort, on le dépose sur un lit à l'intérieur de la maison, mais dès qu'il se réveille, on le reprend aussitôt. Pratiquement, le bain est le seul moment où le bébé de moins de 5 à 6 mois n'est pas tenu dans les bras. L'enfant est presque toujours porté sur la hanche gauche. De ce fait, son bras droit est immobilisé sous le bras de la personne qui le porte ou étendu dans son dos. Lorsque l'enfant tend la main gauche vers un objet qu'on lui offre, la personne qui le porte retient cette main gauche en arrière — car il est interdit de recevoir quelque chose de cette main-là — et dégage ainsi le bras droit de l'enfant. De cette façon, le comportement de préhension de l'enfant s'élabore sous la surveillance de l'adulte suivant le modèle culturel. Toutes sortes de gens vont porter l'enfant de moins d'un an, des hommes ou des femmes, des jeunes ou des vieux, des gens adroits ou moins adroits. Les enfants profitent d'expériences humaines diverses, ils apprennent à connaître différentes peaux, différentes odeurs, différentes allures, différentes façons d'être portés; en même temps, ils acquièrent une connaissance très personnelle des choses. Les seuls objets que le bébé touche habituellement sont ses propres ornements : les grains des bracelets qu'il porte aux poignets et aux chevilles et d'un bracelet relié à une petite boîte en argent sur lequel il fait ses dents.

« Ainsi, l'enfant découvre la vie dans des bras humains. Il apprend à manger, sauf quand il mange dans son bain, à rire, à jouer, à écouter, à regarder, à danser, il est effrayé ou détendu, tout cela dans des bras humains. » L'enfant urine dans les bras de celui qui le porte sans que personne y prenne garde. Il défèque et ressent l'insouciance avec laquelle on appelle le chien pour tout nettoyer. L'enfant est détendu, et le porteur normalement ne fait pas attention à lui. L'enfant passe des heures sur la hanche de sa mère lorsqu'elle pile le riz. Or, nous apprenons par Colin McPhee, l'éminent spécialiste de la musique de Bali, que le tempo de base de cette musique est le même que celui avec lequel la femme pile le riz. Les ethnomusicologues ne semblent pas s'être intéressés à une éventuelle relation entre les sensations de l'enfance et le caractère particulier d'une musique culturelle. C'est pourtant là un champ d'investigation prometteur.

On peut rapprocher le conditionnement précoce de l'enfant de Bali au contact du corps de sa mère à la facilité avec laquelle les enfants plus âgés s'endorment allongés contre quelqu'un d'autre. Certaines personnes s'endorment au milieu d'une foule compacte lors d'une représentation théâtrale, en se balançant légèrement et parfaitement détendues. La proximité d'autres corps est le meilleur milieu pour s'endormir. Lors de cérémonies diverses, les gens s'agglutinent dans un espace à peine plus grand qu'un lit de deux personnes, s'assoient, et s'assoupissent ou s'endorment.

A Bali, habiller l'enfant signifie l'attacher au corps de sa mère. Ce qui est radicalement différent de ce qui se passe en Occident, où le vêtement au contraire sépare l'enfant de sa mère. A Bali, le châle de la mère sert d'écharpe pour envelopper le bébé, de couche, d'oreiller une fois plié sous la tête. La mère en recouvre la tête du bébé lorsqu'il a peur et quelquefois lorsqu'il dort. L'enfant est lié à la personne qui le porte par un tissu qui n'appartient pas plus à l'un qu'à l'autre. Il n'y a pas d'heure régulière pour habiller ou déshabiller les enfants, et ni les vêtements, ni les habitudes de sommeil ne différencient le jour de la nuit chez les habitants de Bali. Dormant et se réveillant à n'importe quelle heure, selon leurs impulsions et leurs envies, les habitants de Bali n'ont pas intériorisé un découpage du temps.

Pendant la petite enfance, le bébé est nourri dans son bain; la mère et le père aspergent et touchent souvent les parties génitales de leur petit garçon, et le bain est pour l'enfant une source de plaisir corporel intense. C'est cependant un plaisir mitigé, pendant lequel l'enfant est manipulé comme une marionnette qui peut dire non, mais qui serait incapable de bouger toute seule. Cette situation contraste fortement avec le contact tactile étroit et réciproque qui s'établit lors de l'allaitement ou du repas pris dans les bras. Quand l'enfant est visiblement assez grand pour aller à la source, il se lave lui-même, et le bain devient alors un plaisir solitaire, bien que l'enfant soit toujours accompagné, mais d'une manière plus discrète.

Maintenant que nous avons décrit les sensations cutanées précoces de l'enfant de Bali, nous pouvons mettre en relief les conséquences de certains types d'expériences, dans lesquelles la peau représente l'un des récepteurs sensoriels les plus importants sur le comportement ultérieur de l'individu, y compris sur sa façon de dormir au contact d'un autre corps. On peut alors se demander si la pratique qui se répand de nos jours chez les couples mariés de dormir dans des lits séparés ne serait pas en rapport avec la diminution des relations tactiles entre la mère moderne et son enfant.

Séparer la mère de son bébé, habiller le bébé, et toutes les mesures d'éloignement, contribuent à réduire le nombre de contacts cutanés et des échanges entre la mère et son bébé. Au lieu de dormir dans les bras de quelqu'un comme le fait le bébé de Bali, le bébé occidental passe seul et séparé des autres la plupart de ses heures de veille, et à plus forte raison ses heures de sommeil. Avant son mariage, un Occidental dort toujours seul dans son lit; et, une fois marié, il peut avoir du mal à s'habituer à partager son lit avec quelqu'un, sauf pour faire l'amour. Ainsi la popularité des lits jumeaux vient-elle effectivement des habitudes éducatives qui conditionnent l'enfant dès son plus jeune âge à « aller » dormir seul. Il « va » dormir. Son isolement contribue au sentiment de solitude et à l'individualisation de chacun des membres de la famille [1].

Le contact étroit du corps de la personne qui le porte, les stimulations tactiles rythmées qui en accompagnent le mouvement, le bercement, les caresses, les cajoleries qu'elle lui prodigue avec les mains ou d'autres parties du corps sont pour l'enfant rassurants, doux et réconfortants. On retrouve dans les berceuses, chantées ou murmurées presque universellement pour calmer et endormir les enfants, le rythme des stimulations tactiles que le bébé reçoit dans les bras de sa mère. Les enfants malheureux ou perturbés se calment et se sécurisent lorsqu'on les prend dans les bras. Prendre quelqu'un dans ses bras permet de lui communiquer son amour, en d'autres termes de lui don-

---

1. L'auteur a déjà traité ce sujet dans « Quelques facteurs de cohésion dans la famille », in *Psychiatry*, vol. 7, 1944, p. 349-352.

ner un sentiment de sécurité. Se balancer d'une façon rythmée est apaisant lorsqu'on est sous le coup d'une émotion.

Le berceau était une invention admirable, vieille de plusieurs milliers d'années, que les sociétés civilisées ont laissée de côté. Pourquoi? La réponse à cette question est en elle-même un événement historique. Elle illustre comment, au nom du progrès, notre ignorance des besoins les plus élémentaires des enfants nous a conduit à abandonner les pratiques les meilleures et à les remplacer par les pires. La réponse à cette question nous donnera aussi l'occasion de mettre en lumière les qualités fonctionnelles de la peau dans la préservation de la santé physique et mentale.

Petite histoire du berceau et de la peau

L'histoire du déclin et de la disparition du berceau est typiquement une suite de toquades, de modes et d'erreurs dictées par un autoritarisme mal informé et aveugle. Dans les années 1880, les médecins et les infirmières propagèrent l'idée qu'il était dangereux d'être trop indulgent avec les enfants. On pensait que bien des maladies d'enfants avaient pour origine l'intervention bien intentionnée de parents trop indulgents. On en vint à décréter autoritairement que l'usage du berceau était la meilleure des preuves de cette complaisance : le berceau devait disparaître. Le docteur John Zahovsky de Saint Louis, rappelant cette période, écrit :

> J'ai eu l'occasion d'observer cette guerre contre le berceau au début de ma carrière professionnelle. Je crois que les maternités de New York, Philadelphie et Chicago étaient alors très influentes. C'est là que les auteurs d'articles publiés dans les journaux féminins les plus importants avaient passé leur diplôme. Dans les années 1900, toutes ces revues publiaient de nombreux articles concernant les soins du bébé. Beaucoup d'entre eux étaient des attaques perfides contre l'usage du berceau.

Dans son manuel de puériculture publié en 1892, Lisbet

D. Price, célèbre formatrice d'infirmières, insiste sur le fait que « *le bébé ne devrait jamais être bercé par les nourrices, ni consolé sur l'épaule* » (les italiques sont d'elle). Bien sûr, ce conseil s'adressait également aux mères.

En Amérique dans les années 1890, la polémique contre l'usage du berceau s'amplifia au travers d'articles consacrés aux soins maternels, publiés pour la plupart dans les principaux magazines féminins de l'époque. Le docteur Luther Emmett Holt, pédiatre, auquel nous avons déjà fait référence dans des circonstances analogues (p. 68-69), exerçait la plus grande influence dans cette campagne contre l'usage du berceau. Pendant plus d'une génération, Holt n'a cessé de vitupérer le berceau. Son manuel de pédiatrie était très utilisé, et dans sa première édition (1897), Holt écrivait :

> Bercer un enfant pour l'endormir, de même que toutes les autres coutumes du genre, est inutile et éventuellement nocif. J'ai connu un cas où l'on avait gardé l'habitude de bercer l'enfant pendant son sommeil jusqu'à l'âge de 2 ans; dès que le mouvement cessait, le bébé se réveillait.

Holt était l'auteur d'un ouvrage qui pendant cinquante ans allait devenir le guide d'éducation le plus populaire. Il s'intitulait *les Soins et l'Alimentation des enfants : un catéchisme à l'usage des mères et des puéricultrices*, et parut pour la première fois en 1894. Des millions de mères et de femmes appelées à le devenir lurent ce pamphlet. A la question : faut-il bercer le bébé ?, Holt répond :

> En aucun cas. C'est une habitude très facile à prendre, mais très difficile à perdre. Elle ne sert à rien, et peut quelquefois être nocive.

A nouveau, en 1916, Holt conseillait d'utiliser un lit que l'on ne peut pas balancer, afin que « cette pratique inutile et vicieuse ne se prolonge pas ». On peut imaginer l'effet produit par le mot « vicieux » sur bien des mères.

Ces attaques contre le berceau, menées par l'un des pédiatres les plus influents de l'époque, firent tomber le berceau en désué-

tude, et ce modèle démodé fut remplacé par le tout dernier cri : le lit d'enfant fixe, le lit cage. Le fait même que les mères aient, depuis l'aube de l'humanité, bercé les bébés dans leurs bras pour les endormir, prouvait que cette pratique était archaïque : balancer les bébés dans des berceaux était suranné, vraiment pas « moderne ». Hélas, dans cette quête éperdue de « modernisme », des institutions et des vertus anciennes furent abandonnées et condamnées. Devant une telle levée de boucliers contre l'usage du berceau qui « crée des habitudes », qui est « inutile et vicieux », qui « gâte » et même ruine la santé de l'enfant, quelle mère aimant sincèrement son petit aurait pu, avec bonne conscience, négliger ces injonctions, ne pas supprimer une pratique si « préjudiciable »?

Le conditionnement des mères fut facilité par l'apparition à cette époque (autour de 1916) d'une psychologie novatrice qui acquit très vite une grande influence. Il s'agit du « béhaviorisme », que l'on doit au professeur John Broadus Watson de l'université Johns-Hopkins. La théorie du béhaviorisme prétendait que la seule approche approfondie possible de l'enfant était l'étude de son comportement. Le débat fondamental portait sur le fait que seules des observations objectives pouvaient constituer des données pour la science. Tout ce qui ne peut être observé — les désirs de l'enfant, ses besoins, ses sentiments — était exclus et n'intéressait pas les béhavioristes. Pour eux, tout se passait comme si rien de tout cela n'existait. Les béhavioristes tenaient à traiter les enfants comme s'ils étaient des objets mécaniques que l'on pouvait remonter suivant le souhait de chacun. Les enfants étaient à la merci de leur environnement, et par leur propre comportement, les parents pouvaient en faire ce qu'ils voulaient. Toute sentimentalité devrait être écartée, car chaque preuve d'amour et chaque contact physique intime rendrait l'enfant trop dépendant de ses parents. Pour les béhavioristes, le but à atteindre était d'encourager l'indépendance, la confiance en soi et d'éviter toute dépendance affective envers les autres. Il ne fallait pas gâter les enfants par trop d'affection.

Cette approche de l'enfant, mécanique et insensible, influença fortement la psychologie pendant toute une période, et laissa une empreinte profonde sur la pratique et la pensée pédiatriques.

Les pédiatres conseillaient aux parents d'adopter une attitude symboliquement distante envers leurs enfants, en maintenant toujours entre eux un écart de la longueur d'un bras, et en les éduquant suivant un modèle caractérisé par l'objectivité et la régularité. L'enfant devait être nourri à l'heure, *pas* à la demande, et uniquement à des horaires précis et réguliers. S'il pleurait au cours des trois ou quatre heures d'intervalle entre les repas, il fallait le laisser pleurer jusqu'à l'heure de la tétée suivante. On ne devait pas le prendre dans les bras lorsqu'il pleurait, car si on cédait à un tel élan de faiblesse, l'enfant serait gâté et se mettrait à pleurer chaque fois qu'il voudrait quelque chose. Ainsi des millions de mères, pourtant affectueuses, laissaient pleurer leur bébé, obéissant au meilleur avis en la matière, résistant courageusement à « l'impulsion animale » de les lever et de les consoler dans leurs bras. Au fond, la plupart des mères n'étaient pas d'accord, mais qu'étaient-elles donc pour contredire les spécialistes? Personne ne leur avait même jamais dit qu'un spécialiste *devait probablement* savoir.

On mettait continuellement l'accent sur le fait que trop s'occuper d'un enfant le gâtait, et que la pratique de bercer les bébés, dans un berceau ou dans les bras, remontait au temps lointain de l'obscurantisme dans l'éducation des enfants. Ainsi, le berceau fut-il définitivement exilé au grenier ou dans un débarras, et le bébé consigné dans son lit fixe. On éliminait d'un seul coup une pratique démodée et un meuble inutile. Les mères avaient résolument décidé d'êtres modernes et insensibles. Il est attristant de constater que tous les pays qui se sont modernisés ont en même temps supprimé l'usage du berceau.

Dans l'élan de leur admiration pour le « progrès » occidental et les pays « avancés », les pays technologiquement sous-développés, qui ont pourtant préservé beaucoup de leurs vertus traditionnelles, tendent servilement à nous rattraper, allant même jusqu'à imiter nos pires erreurs.

Chez nous, l'usage du berceau cessa, lorsque devint à la mode l'idée que câliner un bébé, le caresser ou le bercer pouvait mettre en danger son développement d'individu indépendant et bien élevé. Le berceau était considéré comme spécialement arriéré et répréhensible.

Bien qu'il soit aujourd'hui reconnu que cette façon de penser est malsaine et a été nocive pour des millions d'enfants dont elle a perturbé la vie adulte, ce mode d'éducation sévit encore largement parmi nous. L'accouchement en hôpital, la mécanisation de l'obstétrique, la pratique de séparer la mère de son enfant à la naissance, et celle de ne pas le nourrir dès qu'il vient au monde, l'incitation à remplacer l'allaitement au sein par l'allaitement au biberon, la réprobation de l'usage de la sucette, etc., constituent quelques-unes des tristes preuves de cette approche déshumanisante qui tend à fabriquer des hommes, plutôt qu'à mettre au monde des êtres humains.

Après avoir passé toute sa vie antérieure douillettement blotti dans la matrice maternelle, le bébé se sentirait certainement mieux, confortablement enveloppé sous les couvertures de son berceau, qu'abandonné au creux d'un grand lit, au fond duquel il repose sur le ventre ou sur le dos, face à la surface blanche, plate, triste et inintéressante du drap ou du plafond, avec pour seul dérivatif à ce paysage unidimensionnel et froid les barreaux latéraux de son lit qui l'emprisonnent. Comme l'a dit Sylvester :

> Les petits bébés élevés dans des lits trop grands pour eux deviennent souvent des bébés inquiets, car ils sont bien trop éloignés des surfaces protectrices. Fréquemment par la suite, ils manquent d'audace dans leurs explorations et ne tentent que peu d'expériences. Les bébés perturbés par des situations nouvelles, ou par le prodome (symptôme prémonitoire) d'une maladie physique, cherchent généralement refuge en des lieux protecteurs (les bras de la mère, les bords du lit), exprimant ainsi dans l'espace leur besoin de resserrer les limites autour de leur pré-moi, afin de se protéger.

Le brusque décès dans son lit d'un bébé qui jusque-là était en parfaite santé, et dont la mort n'a aucune cause apparente, reste un fait inexpliqué. On ne peut s'empêcher de se demander si une insuffisance dans les stimulations sensorielles, en particulier les stimulations tactiles, n'est pas en partie responsable de cette « mort au berceau » ou du syndrome de « mort subite » du bébé. Le manque de stimulations sensorielles n'est sûrement pas l'unique origine de ces décès, mais peut y prédisposer.

Cela arrive rarement chez les enfants âgés de plus d'un an. La plupart de ces décès touchent les bébés entre 1 et 6 mois. Il serait intéressant de comparer l'incidence de ces morts soudaines parmi les bébés élevés au berceau et parmi ceux qui sont élevés dans des lits.

Dans un lit, les couvertures bordées autour et au pied du lit pèsent sur le bébé et le laissent partiellement entouré d'air. En fait, ce dont le bébé a besoin et ce qu'il veut, c'est le contact rassurant d'un environnement douillet et réconfortant, qui lui procure un sentiment de sécurité et l'assurance qu'il est toujours en contact avec le monde et non suspendu dans les airs. Le bébé s'assure que tout va bien, en grande partie par les messages qu'il reçoit de la peau. Le soutien que lui apporte l'environnement enveloppant du berceau le rassure, en lui procurant une sensation de continuité, de prolongement de la vie qu'il a menée si longtemps dans la matrice, et cela est bon et réconfortant. Lorsque le bébé ne se sent pas bien ou qu'il a peur, il lui arrive de pleurnicher et si sa mère ou quelqu'un d'autre le berce alors, cela l'apaisera. Bercer un bébé le rassure, car dans la matrice il était continuellement bercé par les mouvements naturels du corps de la mère. Le confort pour un bébé, c'est d'être choyé, et ce confort émane principalement des signaux que sa peau lui fait parvenir. Le plus grand de tous les bien-être est d'être bercé dans les bras de sa mère, pris sur les genoux ou porté sur le dos. Il n'y a pas, selon Peiper, « de meilleur sédatif ». Peiper dit également :

> Lorsqu'un bébé en bonne santé est sur le point de pleurer, essayez donc de le bercer une seule fois, que ce soit dans les bras, dans un berceau ou dans une voiture d'enfant... Il se calme immédiatement, mais recommence à pleurer dès que le mouvement s'arrête. Cela n'arrivera sûrement pas si vous le bercez correctement.

Il est absurde d'insinuer que le berceau est nocif parce que le bébé prend l'habitude d'être bercé pour s'endormir. Effectivement, bercer crée des habitudes, au même titre que l'allaitement au sein ou au biberon crée des habitudes. De nos jours, on sèvre les bébés, qu'ils aient été allaités au sein ou au biberon, sans aucune difficulté sérieuse et sans laisser de séquelles. Bien sûr, il ne faut pas le faire trop brusquement. Des milliers de bébés ont été bercés avant de s'endormir, sans pour autant en avoir besoin une fois adultes. Les bébés délaissent leur berceau, de même qu'ils quittent leurs habits de bébé.

Les rocking chairs sont restés populaires chez les personnes âgées, en particulier dans les régions rurales plus naturelles où le « modernisme » n'a pas encore fait les ravages qu'il a faits dans les régions urbaines plus ouvertes au monde. Et curieusement, personne n'a jamais dit que le rocking chair était « inutile et vicieux », ni qu'une fois adultes, ses adeptes seraient incapables de s'en passer pour se relaxer. En fait, il est très recommandé aux adultes, et spécialement aux personnes âgées, d'utiliser des fauteuils à bascule, pour les mêmes raisons qu'on conseille le berceau pour les enfants. Chez les adultes, comme chez les bébés, le balancement augmente le rythme cardiaque et favorise la circulation; il facilite la respiration et diminue le risque de congestion pulmonaire; il stimule les sensations musculaires; et ce qui n'est pas le moins important, il entretient le sentiment d'une relation étroite au monde. Lorsqu'il est bercé, un bébé sait qu'il n'est pas tout seul. Bercer provoque une stimulation cellulaire et viscérale générale. Pour les bébés surtout, le balancement facilite le bon fonctionnement des voies gastro-intestinales. L'intestin est rattaché de manière très lâche à la paroi arrière de la cavité abdominale par des replis du péritoine. Le balancement assiste l'intestin dans ses mouvements, comme un pendule, et sert ainsi à améliorer sa tonicité. L'intestin contient toujours du chyle liquide et des gaz. Le balancement répand le chyle d'avant en arrière, partout sur la muqueuse intestinale. La bonne diffusion du chyle dans tout l'intestin aide évidemment la digestion et probablement aussi l'assimilation. En 1934, Zahovsky écrivait :

> Les petits bébés que l'on berce systématiquement après le repas ont moins de coliques, moins d'entérospasmes (contraction spasmodique douloureuse de l'intestin) et sont des bébés plus heureux que ceux qui sont couchés sans être bercés. En fait, je me suis moi-même servi de cette thérapie physiologique ces dernières années

pour guérir des jeunes bébés dyspeptiques... Je suis intimement convaincu que l'usage du berceau complète les soins maternels.

Et le docteur Zahovsky conclut par ces mots :

Je pense qu'un jour viendra où on n'aura plus honte d'élever le bébé dans un berceau, ni de lui chanter une berceuse pour l'endormir.

Plus d'une génération devait s'écouler avant que quiconque fasse écho aux propos du docteur Zahovsky. Il faut rendre son berceau à l'enfant. On n'aurait jamais dû le lui enlever. Les motifs pour lesquels on l'a proscrit étaient tout à fait malsains et injustifiés, fondés sur de fausses conceptions quant à la nature des besoins de l'enfant, et sur la notion ridicule que bercer crée une habitude irréversible.

Pourtant bercer un enfant lui fait beaucoup de bien. Si le bébé a trop chaud, le bercer le rafraîchira en accélérant l'évaporation sur la peau; s'il a froid, le bercer l'aidera à se réchauffer. Le réchauffement exerce un effet hypnotique sur le bébé et calme son système nerveux. Et surtout, le mouvement de balancier produit une douce stimulation sur presque toute la surface de la peau, ce qui a de multiples conséquences positives sur son organisme physiologique.

Dans un désir de redonner au berceau sa place légitime, certains hôpitaux ont introduit des fauteuils à bascule dans leurs services, ce qui constitue une première étape d'un changement d'attitude. Les hôpitaux de Riverside, de Tolède et d'Ohio, par exemple, ont intégré dans leur programme de soins aux bébés des séances de chaises à bascule. En 1957, les aides-puéricultrices de l'hôpital de Riverside ont offert à l'hôpital un rocking chair en acajou, comme cadeau de Noël; elles avaient fait une collecte et l'avaient acheté après avoir voté et décidé que c'était « l'équipement moderne dont l'hôpital avait le plus besoin ». Aujourd'hui, il y a une petite chaise à bascule dans chacune des trois pouponnières; il y en a même une pour les bébés prématurés. Mme Herbert Mercurio, la directrice du service obstétrical, explique que les puéricultrices et leurs aides se servent toujours des vieux rocking chairs au moment du repas des bébés. « C'est la meilleure façon de nourrir un bébé et de l'endormir en même temps. C'est également reposant pour la puéricultrice. » On les utilise aussi pour calmer un bébé qui pleure. Mme Mercurio est persuadée que les chaises à bascule sont utiles et pratiques, et elle encourage leur utilisation à la maison. Elle note : « Une chaise à bascule ne gâtera pas l'enfant. C'est quelque chose qu'il aime, mais il dépasse ce stade rapidement. »

Peut-être le rocking chair a-t-il quelques avantages sur le berceau, lorsqu'il est utilisé de cette façon. Je pense que l'un et l'autre feront un jour partie de l'équipement standard de chaque maison qui abrite un bébé — satisfaisant à la fois les besoins de balancement du bébé et de l'adulte [1].

Le docteur Joseph C. Solomon raconte dans un rapport fascinant sa découverte des bienfaits du balancement chez les malades mentaux gravement atteints. A l'occasion d'un transfert par train vers une autre ville, le docteur Solomon a constaté que les malades se calmaient et restaient paisibles dès que le train se mettait en marche; pourtant, pour les faire sortir de leur chambre, il avait fallu avoir recours aux manchons et aux camisoles de force. Solomon tenait le raisonnement suivant : dans la matrice, l'enfant est sujet à de nombreux mouvements passifs, puis connaît dans les bras de sa mère le mouvement actif qui stimule, entre autres choses, l'appareil vestibulaire; c'est sans doute ce contact humain, le mouvement actif, que les malades n'avaient pas connu dans leur enfance. Solomon pense que décider de mouvements actifs est une démarche facile et agréable lorsque les mouvements passifs communiqués par la mère ont été intériorisés de façon satisfaisante, comme une fonction bien intégrée intérieurement.

1. Pour les avantages du rocking chair, voir R. C. Swan, « La valeur thérapeutique du rocking chair », *The Lancet*, vol. 2, 1960, p. 1441; et J. Yahuda « Le rocking chair », *The Lancet*, vol. 1, 1961, p. 109.
Voir aussi le rapport amusant d'un club consacré à la promotion du rocking chair : T. E. Saxe Jr., « Sittn', starin' 'n' rockin '» (S'asseoir, rêver et se balancer), New York, Hawthorn Books, 1969.

Réciproquement, si les mouvements impulsés par la mère n'ont pas été bien reçus, le balancement actif devient alors un moyen normal de se maîtriser. C'est un moyen de défense de l'égo contre le sentiment d'abandon. Tout se passe selon le principe de la seconde loi de Newton. Si vous vous appuyez très fort contre quelque chose, c'est comme si ce quelque chose s'appuyait très fort sur vous. En ce sens, le bébé atteint son but : ne pas se sentir seul. C'est comme s'il y avait toujours quelqu'un avec lui. C'est un moyen de défense identique à celui qui consiste à sucer son pouce, à se ronger les ongles, se masturber ou ne pas vouloir quitter le contact sécurisant de la couverture.

Le docteur William Greene Jr étudiait un groupe de patients atteints d'affections des vaisseaux sanguins et lymphatiques; il se rendit compte qu'une grande partie d'entre eux étaient tombés malades à la suite de la perte d'un de leurs proches, le plus souvent la mère ou la personne qui la remplaçait. Cette association de la perte du soutien maternel et du développement d'une maladie vasculaire inspira au docteur Greene l'idée que le fœtus, loin de recevoir passivement la nourriture, était en fait l'un des membres actifs d'une association en action. A l'intérieur de l'utérus, le fœtus ressent « les vibrations, les pressions, les sons véhiculés par les pulsations vasculaires de la mère, et y réagit. Les pulsations émanent principalement de l'aorte, peut-être des vaisseaux sanguins de la région abdominale ». Le fœtus, stimulé en grandissant par les fonctions internes de la mère, prend sans doute conscience de leur présence ou de leur absence, de leur régularité et de leur modification. Pour le fœtus, l'activité intra-utérine représente « l'environnement extérieur », si bien que plus tard, lorsqu'il sera né, il ressentira son propre appareil digestif comme un environnement extérieur. A l'intérieur de la matrice, le fœtus perçoit sans doute les fonctions internes de la mère comme des événements extérieurs à lui en quelque sorte, et il prend conscience de lui-même en tant qu'être vivant, distinct de ces stimuli. Le docteur Greene pense que le bébé, une fois séparé de la mère à la naissance, « est exposé à de nouveaux stimuli... différents, moins persistants, exotiques, et ce qui est plus important, relativement aléatoires ». Cependant, ce changement ne doit pas être absolu. Le berce-

ment et les mots doux de la mère procurent au nouveau-né
« des perceptions qui jettent un pont entre l'avant et l'après-
naissance et... servent de modèle à toutes les perceptions à
venir ». Le bercement tend « à synchroniser la respiration de
la mère et/ou du bébé », et leur doux dialogue « tend à rapprocher leur rythme cardiaque ». En d'autres termes, en berçant
son bébé et en lui parlant, la mère reproduit en quelque sorte
les stimuli de sa propre respiration et de ses pulsations. Elle
prolonge les rythmes que le bébé connaissait bien avant sa naissance et donne ainsi à son enfant la sensation rassurante d'un
environnement familier, ce dont il a tant besoin.

Dans cette optique, les résultats des études faites sur les bébés
prématurés, c'est-à-dire trop petits à la naissance, sont extrêmement intéressants. Par exemple, les observations que les
docteurs Freedman et Boverman ont faites sur cinq paires de
jumeaux. On s'assura d'abord que les jumeaux grossissaient
convenablement dans les 7 à 10 jours après la naissance. Dans
chaque paire, l'un des jumeaux était régulièrement bercé, deux
fois par jour pendant une demi-heure. On s'aperçut alors que
ceux des jumeaux que l'on avait bercés prenaient chaque jour
plus de poids que le groupe des jumeaux non bercés. Cet avantage, cependant, ne fut que temporaire.

Les prématurés ont tendance à présenter un certain nombre
de carences dans leur vie ultérieure. Mais on n'a pas assez envisagé, jusqu'à présent, la possibilité que les privations sensorielles
aient pu contribuer à ces insuffisances. Dans une recherche
de pointe, Sokoloff, Yaffe, Weintraub et Blase ont étudié les
effets néfastes que pouvait avoir la couveuse sur la vie du bébé
prématuré, dans cet environnement contrôlé et monotone où,
pendant plusieurs semaines, le bébé ne reçoit que le minimum
de stimulations émotionnelles et tactiles. Ces chercheurs étu-
dièrent le cas de quatre garçons et d'une fille très petits à la
naissance et établirent des comparaisons avec un groupe similaire. Toutes les heures, on caressait cinq minutes le groupe
expérimental et cela sur une période de dix jours; le groupe
témoin fut soumis aux soins habituels. On se rendit compte
que les bébés manipulés étaient plus actifs, qu'ils regagnaient
plus rapidement le poids qu'ils auraient dû avoir à la naissance,

qu'ils pleuraient moins. A 7 ou 8 mois, ils étaient plus vifs et en meilleure santé. Leur croissance et leur développement moteur avaient été meilleurs. Bien que l'échantillon soit très petit au départ, ces résultats confirment ceux de Hasselmeyer. Hasselmeyer établit, lui, que les bébés prématurés soumis à une plus grande stimulation sensorielle, tactile et kinesthésique étaient, dans une proportion significative, plus tranquilles que les autres bébés, en particulier avant les repas.

Souvent, les malades des hôpitaux psychiatriques se balancent tout seuls. Quelquefois aussi, se balancer est un acte d'auto-réconfort en cas de gros chagrin, chez des gens qui en temps normal ne le font pas. Parmi les peuples de langue sémite, y compris les juifs orthodoxes, le balancement du corps accompagne souvent la prière, la douleur ou la concentration. Il semble évident qu'il s'agit là d'un comportement apaisant.

Le comportement et les motivations de tous les bébés mammifères visent à maintenir le contact avec la mère. La recherche du contact est à la base de tout le développement du comportement ultérieur. Lorsque le bébé est frustré dans son besoin de contact, il a recours à des comportements tels que se caresser, sucer son pouce, se bercer ou se balancer. Ces gestes — mouvements de va-et-vient, succion des doigts les avant-bras collés au corps — constituent une régression vers les stimulations du mouvement passif vécu dans la matrice. Se bercer soi-même, ou autre activité répétitive similaire, est un substitut à la stimulation du mouvement passif; se caresser et sucer son pouce sont des substituts à une stimulation sociale. Le docteur William A. Mason et son collègue, le docteur Gershon Berkson du Centre régional de recherches sur les primates, à l'université de Tulane, Nouvelle-Orléans, effectuèrent des tests pour vérifier l'existence d'une relation entre le fait de se bercer soi-même et la qualité de la stimulation maternelle. Ils comparèrent deux groupes de singes rhésus, tous deux séparés de leur mère à la naissance. L'un des groupes fut élevé par un substitut de congénère recouvert de tissu qui pouvait se déplacer librement dans la cage suivant un schéma irrégulier; l'autre groupe fut élevé par un appareil identique, si ce n'est qu'il était fixe au lieu d'être mobile. Les trois singes élevés par les éléments fixes montrèrent tous un balancement stéréotypé, et cette attitude persista long-temps, tandis que ceux qui avaient été élevés par les robots mobiles ne montraient aucun signe d'un comportement de ce genre.

Il semble donc vraisemblable que se bercer soi-même soit un substitut au plaisir des mouvements passifs et au besoin de stimulations que l'on aurait dû recevoir du corps de la mère, en étant porté par elle ou en se cramponnant à elle.

Le point de vue de Solomon selon lequel le bercement stimule l'appareil vestibulaire est sans aucun doute valable; mais il laisse de côté le fait que la peau elle-même subit en même temps une série de mouvements complexes, sans compter les mouve-ments des organes propriocepteurs et intérocepteurs, et ceux des organes internes. Tous ces mouvements provoquent des sensations érotiques. Se bercer ou se balancer dans des situa-tions de douleur ou d'affliction équivaut à se caresser, se consoler.

Bercer, chanter, danser

> *O, le toucher d'une main fugitive*
> *Et le son d'une voix qui demeure!*

Tennyson se rappelait-il, inconsciemment ou non, ses pre-mières sensations de l'amour maternel lorsqu'il écrivit ces vers poignants? On dit que la musique exprime ce qui ne peut être dit. Et certaines musiques ont une qualité tactile très pénétrante. Le *Liebestod* de Wagner est censé représenter une version musi-cale du coït menant à l'orgasme, puis de l'apaisement post-coïtal. *L'Après-Midi d'un faune* de Debussy communique les nuances les plus tangibles de la sexualité. Aujourd'hui, la musique « rock » porte bien son nom : pour la première fois dans l'his-toire de la danse occidentale, les couples ne se touchent plus en dansant; ils restent séparés tout au long du morceau, dansant la plupart du temps sur une musique assourdissante dont les textes s'adressent habituellement aux parents ou d'une façon

plus générale à l'autre génération pour leur dire en substance :
« Vous ne me comprenez pas », « où étiez-vous, quand j'ai eu
besoin de vous ? » et autres choses analogues.

Dans un brillant article sur la communication tactile, Lawrence K. Frank écrit :

> La puissance de la musique, avec ses modèles rythmiques et les
> intensités diverses de ses sons, dépend en grande partie de l'audi-
> toire et de son désir de trouver dans la musique un substitut aux
> premières sensations tactiles, celles dont... le modèle rythmique
> est étrangement efficace pour calmer le bébé.

Se peut-il que des danses telles que le twist, le rock et ses
variantes, soient, du moins en partie, une conséquence du manque de stimulation tactile, d'une frustration précoce très fortement ressentie, dans cet environnement aseptisé et déshumanisé
que les médecins accoucheurs et les hôpitaux ont créé ? Et où
donc, sinon dans un tel décor, a eu lieu cet événement drama-
tique, le plus important de tous, la naissance, l'accueil d'un
nouveau membre dans le « cercle de famille » ?

Les groupes rock sont pour la plupart constitués par des
adolescents et s'adressent à eux. Et cela n'est pas surprenant.
Car ce sont eux qui restent les plus proches des conditions de
vie contre lesquelles ils protestent dans leur musique, leurs
danses et autres formes d'expression. C'est une bonne chose,
en l'occurrence, que les jeunes protestent sous cette forme-là
contre un mode de vie qu'ils trouvent intolérable. Mais, malheureusement, les jeunes ne sont pas toujours explicites sur
ce qui doit être changé. Cependant, dans les domaines où ils
sont très sensibilisés — les soins aux enfants, l'éducation et
les relations humaines —, ils sont souvent plus perspicaces
que leurs aînés. « Amour » est un mot qui est lourd de sens
pour eux, bien plus que pour la plupart des adultes.

La sensibilité tactile du bébé à la naissance s'est longuement
préparée et développée dans la matrice. Nous savons que le
fœtus est capable de réagir à la fois aux pressions et aux sons,
et que les battements de son cœur, 140 à la minute, et ceux de
sa mère, à une fréquence de 70 à la minute, lui procurent un

monde sonore syncopé. Lorsqu'on sait que le bébé baigne dans le liquide amniotique, au rythme symphonique du battement de deux cœurs, on comprend mieux que les sons rythmiques apaisent l'enfant, car ils le ramènent au bien-être du fœtus *in utero* rythmé par les battements du cœur de la mère.

Le docteur Lee Salk a remarqué que, chez les singes comme dans l'espèce humaine, la mère a spontanément tendance à porter son bébé du côté gauche. Or, l'apex du cœur est plutôt situé à gauche. On peut peut-être en déduire que la préférence des mères primates à tenir la tête du bébé de ce côté est liée au besoin du bébé de continuer à entendre le rythme réconfortant du cœur de sa mère. Les mères étant pour la plupart droitières, elles sont plus à même de porter le bébé dans le bras gauche, ce qui leur laisse la main droite disponible tout en gardant la tête du bébé contre l'apex du cœur. C'est sans doute là la vraie raison qui fait que la plupart des mères tiennent leur bébé du côté gauche.

Le docteur Salk avait émis l'hypothèse que l'on pouvait atténuer le traumatisme de la naissance en faisant écouter au nouveau-né le son d'un battement de cœur normal tout de suite à sa naissance, prolongeant ainsi un stimulus familier et sécurisant. Dans le service de maternité d'un hôpital, le docteur Salk fit écouter à plusieurs bébés l'enregistrement de vrais battements de cœurs normaux, à 72 double-battements par minute. Les résultats furent du plus grand intérêt. 69,6 % des bébés ayant entendu les enregistrements commencèrent à reprendre du poids dès le deuxième jour. Cette proportion était nettement plus importante que parmi les bébés qui n'avaient pas subi l'expérience, où le pourcentage n'était que de 33 %. Un ou plusieurs bébés pleuraient pendant 38,4 % du temps lorsqu'on diffusait les battements de cœur, et 59,8 % du temps lorsqu'on ne diffusait rien. La respiration était plus profonde et plus régulière parmi les bébés soumis à l'expérience que chez les bébés du groupe de contrôle. Les difficultés respiratoires et gastro-intestinales diminuèrent pendant la période de diffusion des battements du cœur.

Le docteur Salk en conclut que la diffusion des sons d'un battement de cœur normal pendant les premiers jours et la première semaine de la vie postnatale pouvait très bien contribuer à une meilleure adaptation émotionnelle du bébé dans sa vie future. En raison de sa signification biologique profondément enracinée parce qu'il est le premier son que l'on a entendu, le battement de cœur, ou son équivalent, procure toujours un sentiment de sécurité, celui-là même que l'on a ressenti dans l'intimité de la mère, et réussit à calmer la peur là où tous les autres moyens ont échoué.

Dans ce XXᵉ siècle, sans berceau et sans berceuse, le rock'n'roll et ses complaintes douloureuses, souvent très belles, quelquefois stridentes et percutantes, sont peut-être des compensations au manque de sollicitude des parents vis-à-vis des besoins cutanés de leurs enfants. L'ignorance est grande sur l'importance de ces besoins. Mais rien n'est rédhibitoire. La musique d'une population donnée à une période donnée peut quelquefois avoir un rapport direct avec les sensations — ou l'absence de sensations — de conditionnement précoce vécues dans la petite enfance. Dans l'état actuel des choses, on ne peut décider si cela est vrai ou non et si cela a un rapport avec la peau avant d'avoir réalisé un certain nombre de recherches complémentaires dans ce domaine. C'est une hypothèse intéressante qui vaut la peine d'être approfondie, ne serait-ce que pour mettre en lumière les micromécanismes du développement humain.

Les vêtements et la peau

Nous avons jusqu'ici envisagé les relations qui pouvaient exister entre les différentes expériences de stimulations cutanées précoces et les genres de musique et de danse qui s'ensuivent. Nous avons vu aussi les formes musicales et dansées qui répondent à des stimulations cutanées insuffisantes ou à l'absence de cajoleries. Cela amène une autre question intéressante : existe-t-il une relation entre les vêtements, la peau et le comportement ?

Irwin et Weiss ont constaté que l'activité des bébés était moindre lorsqu'ils étaient habillés que lorsqu'ils étaient nus.

Cela soulevait un problème : cette réduction d'activité venait-elle d'une gêne d'ordre mécanique par les vêtements, ou était-elle due à l'élimination de la possibilité de s'autostimuler ? Ou encore, les vêtements réduisaient-ils les tiraillements d'estomac ? Et enfin, est-ce les vêtements qui modéraient l'impact des stimuli ou y faisaient écran ? Tous ces facteurs entrent probablement en jeu dans la réalité, mais sans doute le dernier est-il le plus important : effectivement, les vêtements séparent le corps des stimuli qui lui parviennent.

Il est difficile de dire si oui ou non l'usage d'habiller les enfants dès leur plus jeune âge revêt une importance dans le développement des différences de comportement avec les sociétés où ni les enfants ni les adultes ne portent de vêtements. Les vêtements et les différentes sortes de vêtements exercent sur la peau une influence différente; suffisante sans doute pour induire des comportements différents.

On peut supposer que les innovations singulières apportées par les jeunes dans leur habillement et le phénomène du port des cheveux longs, des barbes et autres embellissements du visage chez les représentants du sexe masculin sont liés aux sensations tactiles précoces ou à leur carence. Le système pileux est un grand attrait de la peau. Il produit dans le réseau qu'il dessine de nombreuses stimulations de la peau. Les barbes et les cheveux que les jeunes gens arboraient dans les années soixante exprimaient peut-être leur besoin d'amour, d'un amour qu'on leur a refusé dans leur enfance où ils n'ont connu ni les cajoleries, ni les caresses, ni ces douces conversations que l'on a avec les bébés. La comédie musicale *Hair* qui a eu tant de succès est consacrée, entre autres choses, à l'apologie des cheveux longs et un peu à celle de la nudité. Il ne faut pas un grand effort d'imagination pour comprendre que la pièce plaide en fait pour plus d'amour, plus de vraies caresses, plutôt que de s'emporter contre son aspect de provocation.

Vue la marge de plus en plus grande de tolérances et de libertés dans notre société, on peut penser que l'exhibition de la peau et de ses particularités tégumentaires est l'expression d'un besoin de satisfactions cutanées de la part de ceux qui n'en ont pas reçues dans leur enfance. Les vêtements nous

111

privent de bien des sensations agréables ressenties sur la peau ; aujourd'hui, la tendance qui porte les individus à quitter réellement ou symboliquement leurs vêtements représente sans doute pour eux le désir de jouir de sensations dont ils ont été privés auparavant. La stimulation naturelle de la peau, le jeu du soleil, de l'air, du vent sur le corps peuvent être très agréables. Flügel, qui dirigeait une enquête sur ce sujet, constata que les stimulations naturelles de la peau étaient souvent décrites en des termes « enflammés », tels que « paradisiaque », « enchanteur », « comme si on nageait dans le bonheur » et autres expressions de plaisir. Le développement du mouvement nudiste reflète sans doute le désir d'une plus grande liberté de communication par la peau [1].

Cette communication par la peau prend d'abord une forme visuelle par l'examen des corps nus. Tous les nudistes s'accordent à dire que cela réduit considérablement les tensions sexuelles et prend une valeur thérapeutique générale. Dans les camps de nudistes, il était strictement interdit de se toucher, même entre mari et femme, mais cette règle a, de nos jours, tendance à s'assouplir. Hartman, dans ses études sérieuses sur les nudistes, exprimait le plaisir qu'il avait ressenti à la vue de...

> ... nudistes pratiquant des jeux où l'engagement physique était nécessaire, sans impliquer jamais d'activités suggestives. J'avais beaucoup entendu parler de cette règle du non-toucher, mais lorsque j'étais chaleureusement accueilli pendant la période de mes recherches, bien souvent étreint par des hommes et par des femmes, je ressentais bien que cette cordialité n'avait rien à voir avec une quelconque excitation sexuelle. Ces contacts furent l'un de mes plus grands plaisirs pendant ce travail.

Hartman fait remarquer que la culture américaine est considérée comme une culture du non-toucher. Ses observations sur les nudistes l'ont conduit à penser que, sans le vouloir, les nudistes avaient entériné cette situation. Il écrit :

1. On trouvera dans *la Nouvelle Gymnosophie* de Parmalee une des premières réflexions sérieuses sur le nudisme et les inconvénients des vêtements (New York, Hitchcock, 1927).
Voir également le livre qui introduisit le nudisme aux USA : *Parmi les nudistes* de F. et M. Merrill, New York, Garden City Publication Co, 1931.

> Je crois que des gens qui sauraient se toucher pour exprimer leur affection, dans les relations intimes, comme dans les relations sociales, pourraient développer beaucoup mieux leur propre personnalité. J'ai d'ailleurs remarqué que la règle du non-toucher était en voie de disparition.

L'association du sexe à la nudité est bien sûr très enracinée; si fort que le même endroit du corps peut être touché s'il est habillé, mais devient tabou et intouchable lorsqu'il est nu. Cependant cette règle ne s'applique pas aux parents et à leurs jeunes enfants. Au fur et à mesure que l'enfant grandit, le contact physique diminue, pour cesser complètement au moment de l'adolescence. Ainsi, les adolescents qui se touchent réciproquement lorsqu'ils sont habillés cessent tout contact lorsqu'ils se rencontrent dans des camps de nudistes.

Une des conséquences de cette coutume de porter des vêtements dès la petite enfance fait que la peau n'a pas pu développer toute la sensibilité qu'elle aurait eue, si elle n'avait pas été constamment recouverte de vêtements. On a observé par exemple que, parmi les peuples de culture orale, la peau réagit mieux aux stimuli que chez les Européens. Dans son livre *Pygmies and Dream giants*, Kilton Stewart raconte que les Negritos des Philippines « sont très sensibles à tout ce qui rampe, et ils étaient stupéfaits qu'une fourmi puisse grimper le long de ma jambe sans que je m'en aperçoive ».

Les différences de sensibilité de la peau d'un individu à l'autre sont étonnantes. Au contact de quelqu'un d'autre certains ressentent « une sorte de courant électrique » passer entre eux, là où d'autres n'éprouvent rien de tel. Certaines personnes conservent cette sensibilité en vieillissant, alors que d'autres ont tendance à la perdre dès qu'elles atteignent l'âge mûr. Dans ce dernier cas, il est probable que des modifications hormonales sont intervenues.

Lorsqu'on dit par métaphore que de « l'électricité » passe entre certaines personnes lorsqu'elles se touchent, il y a là sans doute plus qu'une simple image. La peau est un excellent conducteur d'électricité. On peut mesurer les variations d'électricité à la surface de la peau de différentes manières; l'une des

113

plus connues est le psychogalvanomètre, ou comme on l'appelle communément, à tort d'ailleurs, le « détecteur de mensonges ». Des modifications émotionnelles se produisent dans le système nerveux autonome et provoquent une augmentation de la conductivité électrique de la peau (une diminution de résistance) dans la paume des mains et aux pieds. Il n'y a donc pas de doute que des variations d'intensité électrique sont transmises d'un individu à l'autre lors de stimulations tactiles.

La perception dermo-optique

Certaines personnes affirment avoir une peau si sensible qu'elles pourraient voir par la peau. Étant donné que la peau provient de la même couche embryologique ectodermique que les yeux, certains chercheurs soutiennent que la peau a conservé chez ces personnes quelques-unes des propriétés optiques d'origine, ce qui leur permet bien de voir par la peau.

En 1919, dans son livre *Vision extrarétinienne*, le romancier français Jules Romains défendait avec force ce point de vue. Périodiquement, la presse revient sur le sujet à l'occasion d'informations sur des individus qui « voient sans yeux » ou qui se disent capables de voir par l'orbite de l'œil qui leur a été enlevé, par leurs doigts ou encore par la peau du visage à la suite d'un scellement complet des yeux.

En fait, aucun examen critique n'a jamais pu établir la preuve qu'une personne voyait par la peau. Toute démonstration spectaculaire est généralement truquée. Martin Gardner a étudié ces prétendus cas de perception dermo-optique et n'en a retenu aucun. Les capacités sensorielles de la peau sont suffisamment remarquables en elles-mêmes pour qu'il soit tout à fait inutile de fabriquer des allégations exagérées. Les facultés des personnes aveugles comme Laura Bridgman, Helen Keller et Mme de Staël qui passaient les mains sur le visage de leurs visiteurs pour se faire une idée de leur physionomie sont des faits authentiques. Mais personne n'a jamais prétendu que ces femmes voyaient par la peau. Nous possédons tous des facultés de stéréognosie — c'est-à-dire la capacité de reconnaître les objets et les formes par le toucher — et pour parler par métaphore, la plupart des êtres humains peuvent « voir » les objets qu'ils ont touchés. Les extrémités des doigts sont des parties du corps caractérisées par une très grande sensibilité à « lire »; elles perçoivent les formes des objets au toucher. Si on avait besoin d'une preuve pour démontrer la mémoire de la peau, on la trouverait dans les capacités sensorielles des extrémités des doigts. Les récepteurs sensoriels des doigts captent les stimuli et les transmettent ensuite au cerveau sous forme de substances conductrices. A la longue, ces capacités deviennent des facultés qui permettent à l'individu de reconnaître précisément chaque sensation et de l'associer à sa signification propre. Une faculté est une capacité que l'on a exercée de multiples fois, et chaque être humain doit faire cet apprentissage. Peu à peu, par expérience, il acquiert une faculté stéréognosique; de même il doit apprendre à développer la sensibilité inhérente à la peau. La réussite ou l'échec de cet apprentissage dépend presque entièrement des sensations cutanées, et autres, que l'individu a pu vivre durant son enfance et sa petite enfance.

La dermographie

La dermographie ou dermatographie est l'art d'écrire sur la peau, généralement sur le plat du dos, ou d'y faire apparaître des papules par pression. On peut écrire sur la peau à l'aide d'un instrument émoussé. Lorsque les papules sont rouges, cela est dû à l'hyperactivité du nerf pneumogastrique (vagotonie); lorsqu'elles sont plutôt blanches, c'est le système nerveux sympathique qui est en cause. Les papules elles-mêmes proviennent d'un suintement du fluide des capillaires dans les tissus environnants et le suintement vient manifestement d'une dilatation localisée des vaisseaux sanguins. Toute peau produit des papules sous l'action de frictions suffisamment fréquentes et énergiques; mais dans certains cas inhabituels, un simple frottement suffit à provoquer la dermographie. Actuellement, nous ne savons pratiquement rien des rapports de la dermographie avec les sensations cutanées de la petite enfance.

Pendant des générations, les enfants se sont amusés à se tracer mutuellement des lettres sur le dos, le jeu consistant à identifier correctement le plus grand nombre de signes. Les adultes aussi jouent à ce jeu, avec des compétences inégales. A l'évidence, le cerveau est capable de transcrire des schémas de stimulations du toucher en lettres et en images simples. Que je sache, personne n'a jamais étudié les différentes aptitudes des gens à lire ces messages dermatographiques. Je ne pense pas trop m'avancer en annonçant que l'on découvrira des corrélations importantes entre la sensibilité dermatographique et les expériences cutanées précoces.

Les docteurs Paul Bach-y-Rita et Carter C. Collins de l'Institut Smith Kettlewell des sciences visuelles à l'université des sciences de San Francisco ont fait des recherches à ce sujet : ils sont partis des aptitudes du cerveau à transmettre les messages de la peau et ont découvert que le cerveau transmettait également des stimuli provenant d'un appareil à électrodes ou à vibrations, raccordé à un appareil photographique. Après quelques heures d'entraînement, des personnes atteintes de cécité étaient à même de reconnaître des formes géométriques et des objets tels qu'une chaise ou un téléphone. Avec un entraînement supplémentaire, elles pouvaient évaluer une distance, et même reconnaître des visages.

La peau et la rétine de l'œil sont uniques, en ce sens que leurs récepteurs sensoriels sont disposés selon un certain ordre. C'est ce qui leur permet de capter la périodicité et le dessin des stimuli, et de les transformer immédiatement en images dans le cerveau. Sur la tête d'une personne aveugle, on a fixé, comme une lampe de mineur, un appareil photographique raccordé à un appareil à électrodes monté sur une matrice élastique, que la personne pouvait porter, sur le ventre ou sur le dos, sous des vêtements normaux. L'appareil photographique transmettait des images aux électrodes, lesquelles les transmettaient à leur tour à la peau. Ensuite, l'information était traitée par le cerveau. Au cours de ces expériences, on s'est aperçu que la peau de l'abdomen « voit » mieux que celle du dos ou des avant-bras.

La perception spatiotemporelle de la peau est tout à fait remarquable. La peau peut évaluer le temps aussi bien que l'oreille. Soumise à une pression mécanique constante ou à une vibration tactile régulière, elle peut détecter une interruption d'environ 10 millièmes de seconde. L'œil peut discerner des écarts d'environ 25 à 35 millièmes de seconde. En matière d'espace, la peau évalue les distances sur sa surface, bien plus précisément que l'oreille ne situe la distance des sons qui lui parviennent de loin. En utilisant ces informations, le docteur Frank A. Geldard, du laboratoire de la communication cutanée de l'université de Princeton, a établi un alphabet optique qui peut impressionner la peau rapidement. Les symboles s'apprennent et se lisent facilement dans une langue qu'on pourrait appeler « anglais corporel ». Geldard rappelle que Rousseau, en 1762, dans son traité d'éducation, *Émile*, a fait preuve d'une prescience tout à fait remarquable en parlant de la communication par la peau. Geldard a constaté que la peau est capable de recevoir et de déchiffrer des messages rapides et complexes. « On pourrait sûrement inventer et utiliser un langage de la peau très concis et d'une grande finesse », conclut-il.

La perception dermo-optique est un mythe, mais la perception par la peau grâce à toutes ses propriétés est une réalité. La peau possède l'aptitude de réagir à des stimuli de natures très différentes. Déjà, grâce à un dispositif électronique qui émet des vibrations identiques à celles des lettres de l'alphabet, on a permis à une personne atteinte de cécité de voir, après un léger entraînement. Conjointement aux recherches sur la communication vibrotactile, d'autres chercheurs se sont attachés à codifier l'alphabet sous forme de pulsions électriques. B. von Haller Gilmer et Lee W. Gregg, de l'Institut de technologie de Carnegie, poursuivent ces recherches. Ils font remarquer que la peau est presque toujours « disponible », ce qui lui permet de recevoir des signes, d'apprendre des codes, sans qu'ils interfèrent jamais avec autre chose. La peau ne peut pas refuser un signe vibrotactile ou électrotactile. Elle ne peut ni fermer les yeux ni fermer les oreilles, et, en ce sens, elle ressemble plus à l'oreille qu'à l'œil. Gilmer et Gregg pensent que, par sa nature propre, la peau n'est pas encombrée d'un verbiage excessif, comme le sont la parole et l'écriture. D'après eux, la peau recèle des possibilités de codage bien supérieures aux autres moyens de communication, grâce à sa « simplicité ». Seule, la peau réussit à combiner les dimensions spatiales et temporelles de l'ouïe et de la vue même si l'oreille est plus efficace pour appréhender le temps, et l'œil pour appréhender l'espace.

Gilmer et Gregg ont fait des expériences sur des personnes normales et d'autres atteintes de cécité. A l'aide d'un appareil qui émet des ondes vers la peau et mesure les pulsations et la résistance de la peau, ils ont stimulé des endroits précis sur la peau, à une fréquence d'un millième de seconde, induisant une pulsion par seconde, pendant deux heures d'affilée, et sans provoquer aucune douleur. En codant les pulsations, on pourrait donc élaborer un langage « pulsé ». Un langage aussi artificiel, construit à partir des sensations cutanées, offre des possibilités tout à fait remarquables. Gilmer et Gregg ont établi une grille de correspondance entre chaque sensation cutanée et un son élémentaire du langage (un phonème). Ils utilisent ensuite un ordinateur programmé (un lecteur de code) qui joue le rôle du récepteur humain. A l'aide de cet ordinateur, ils espèrent construire un système qui livrera toutes les informations nécessaires pour élaborer un véritable langage codé.

Le toucher comme moyen de communication n'a jamais été étudié à fond. En musique, un intervalle équivaut à la différence de hauteur du son toutes les deux notes. Dans le cas du toucher, les sensations ont une grande variété d'intervalles qui, transmis au cerveau, acquièrent une signification. En musique, comme pour les sensations tactiles, les intervalles peuvent être concordants ou discordants. L'aspect psychophysique de ce sujet reste encore à étudier.

Le prurit

La démangeaison est une sensation d'irritation cutanée qui provoque l'envie de se gratter ou de se frotter la peau. On arrête la démangeaison en se grattant, c'est-à-dire en se raclant la peau à l'aide des ongles. Les formes psychosomatiques du prurit sont bien connues. On parle souvent d'une « démangeaison » de l'esprit, comme on le fait d'une démangeaison de la peau. Misaph, dans une monographie fantastique sur le sujet, décrit le prurit comme une activité dérivée, c'est-à-dire comme une « résurgence », une réapparition sous forme de réactions cutanées, de sensations ou de frustrations anciennes. Par exemple, dans des situations de frustration, les sentiments de colère peuvent se transformer en prurit infrasymbolique. Les formes variées de prurit psychosomatique, qui provoquent une démangeaison fonctionnelle de la peau, ne sont souvent qu'un désir inconscient d'attirer l'attention sur soi, et surtout sur la peau qui a été négligée pendant l'enfance. Se gratter, même en l'absence de démangeaison, peut être le symptôme de sentiments de frustration non exprimés, d'accès de rage, de sentiment de culpabilité, ou d'un besoin d'amour fortement réprimé.

Seitz fait remarquer que nombreuses sont les personnes qui se grattent secrètement parce qu'elles ont honte du plaisir érotique qu'elles en ressentent. La nature érotique de certaines sortes de démangeaison est évidente. Un vieux proverbe le dit bien : « Il vaut mieux se gratter là où ça démange que s'enrichir. »

Brian Russell souligne que la privation d'amour est souvent à l'origine de démangeaisons, la démangeaison d'être aimé. « Le malade atteint d'eczéma généralisé de la peau et qui fait une rechute rien qu'à l'idée de sortir de l'hôpital régresse vers un stade infantile de dépendance. Il lance un appel muet : " Je suis sans appui, aidez-moi ". »

Se gratter peut être à la fois une source de plaisir ou de mécontentement qui exprime un sentiment de culpabilité et une tendance à l'autopunition. Les malades atteints de prurit souffrent également de troubles sexuels et sont presque toujours agressifs.

Le plaisir que l'on ressent à se gratter est phylogénétiquement très ancien. Chacun sait que tous les mammifères aiment à se gratter le dos. On calme même les invertébrés en leur caressant le dos doucement. L'homme, comme tous les mammifères, prend plaisir à se gratter, de préférence même en l'absence de démangeaison. La brosse à dos est un instrument très ancien; la publicité pour les derniers modèles électriques annonce qu'elle est « mieux qu'une amie : c'est une main articulée qui va et vient de haut en bas, mieux qu'une vraie main ». Ainsi, le simple fait qu'une peau correctement stimulée puisse donner du plaisir témoigne de notre besoin de stimulations agréables. En ce sens, presque toutes les stimulations cutanées, sauf celles dont l'intention est injurieuse, se caractérisent par une composante érotique. Dans certains cas, un simple attouchement de la main peut être une excitation sexuelle. Les individus réagissent différemment aux plaisirs provoqués par les stimulations cutanées de la peau. Les différences de sensibilité dépendent sans doute de l'état et des conditions dans lesquels nous nous trouvons, mais aussi des stimulations cutanées que nous avons eues pendant notre petite enfance. Les expériences que les Harlow et d'autres ont faites sur les singes et sur d'autres mammifères, aussi bien que les observations psychiatriques que l'on a faites sur l'homme, confirment sans équivoque cette conclusion.

Le bain et la peau

Les enfants aiment beaucoup prendre des bains chauds : leurs éclaboussures et leurs gazouillis heureux, leur refus d'en sortir témoignent du grand plaisir qu'ils éprouvent à la stimulation aquatique de la peau. Il n'est donc guère surprenant que, en Amérique surtout, la salle de bains soit devenue le temple du foyer américain, et le bain quotidien un hymne rituel aux ablutions intimes. Les femmes trouvent le bain relaxant, les hommes trouvent la douche stimulante. Et tous deux, homme et femme, passent dans le bain bien plus de temps qu'il n'est nécessaire à une simple toilette. Chacun se procure à sa façon ce plaisir. Se pourrait-il que les stimulations cutanées du bain ressuscitent les plaisirs aquatiques que l'on a vécus dans la matrice et dans les bains de la petite enfance?

Des hommes et quelquefois des femmes, qui chantent rarement d'habitude, se mettent à chanter à pleins poumons dans la baignoire ou sous la douche. Quelle peut en être l'explication? De même, c'est souvent dans le bain ou sous la douche que se pratique la masturbation. Pourquoi? Les stimulations cutanées du bain ou de la douche sont pourtant très différentes. La douche active la peau de façon soudaine et la stimulation de la peau provoque de vives modifications respiratoires qui, chez certains sujets, peuvent se traduire par des chansons. Cela arrive moins souvent sous la stimulation plus douce de l'eau du bain. Dans les deux cas cependant, se frotter la peau peut provoquer des sensations érotiques conduisant à des pratiques masturbatoires.

Le nombre de piscines privées, plus important d'année en année, et l'affluence sur les plages en été, où le bain est associé à l'exposition aux rayons du soleil et à la douceur de l'air prouvent le plaisir que les gens prennent aux excitations sensorielles dès qu'ils quittent leurs vêtements et exposent leur peau aux éléments naturels.

En fait, de Platon à nos jours, tous ceux qui ont parlé de la peau ont fait l'éloge de la nudité par opposition au corps habillé. Mais l'homme contemporain, et surtout les femmes, n'ont pas su comprendre les besoins de leur peau. Par ignorance, ils se sont fait le plus grand tort à eux-mêmes. L'adoration du soleil, qui fait de nos jours un nombre croissant d'adeptes, dessèche la peau, accélère la formation de rides et autres désagréments; mais surtout, elle est dans bien des cas à l'origine du cancer de la peau. Le docteur John M. Knox a démontré que les signes les plus visibles du vieillissement de la peau sont en fait le résultat d'une exposition à la lumière solaire. Une exposition modérée aux rayons du soleil est souhaitable et nécessaire. Mais une exposition exagérée est non seulement inutile, mais dangereuse. La folie humaine est consternante : quand on pense aux billions de dollars que les femmes dépensent en soins esthétiques de la peau, sous forme de lotions, baumes, crèmes et autres, alors que simultanément elles surexposent leur peau aux influences les plus néfastes, celles d'un excès de soleil en l'occurrence. Une exposition de vingt minutes au soleil suffit à provoquer une rougeur de la peau, due à la brûlure des rayons du soleil. La plupart des gens passent plusieurs heures sur la plage en plein soleil, une exposition qui peut se traduire par un coup de soleil douloureux avec formation de cloques. Symboliquement, le bronzage signifie : « Vous voyez, le soleil continue à me sourire, je me suis librement et sans contrainte réchauffé sous l'étreinte de ses rayons. Il m'a chaleureusement aimé. »

La peau et le sommeil

La peau reste le sens le plus vigilant pendant le sommeil et il est le premier à se réveiller. Les organes sensoriels de la peau et les organes sensoriels intéroceptifs plus profonds semblent jouer un rôle dans les mouvements que l'on fait pendant le sommeil. Lorsqu'on est allongé dans la même position trop longtemps, la peau se réchauffe par manque d'aération; en conséquence, elle envoie des messages aux centres nerveux appropriés, qui aboutissent à un changement de position du dormeur. En enregistrant les battements de cœur d'une personne pendant son sommeil, on s'est aperçu que le cœur se met à battre plus vite six minutes avant que le dormeur ne bouge. A la suite du changement de position, les battements de cœur retrouvent peu à peu leur rythme normal.

Une perturbation dans le processus normal des soins maternels — qu'elle ait lieu avant ou après que le bébé se soit identifié à la mère — peut avoir des conséquences graves sur la capacité de l'individu à s'endormir ou à bien dormir; les soins de la petite enfance surtout, être tenu, porté, serré tendrement, bercé, jouent un rôle important dans le développement du sommeil, dont les schémas de fonctionnement peuvent durer toute la vie.

Le bébé éprouve un grand désarroi si son besoin tactile n'est pas satisfait. Il en est de même pour tout autre besoin. Il signale sa détresse par des pleurs et attire ainsi l'attention sur ses besoins. Aldrich et ses collaborateurs ont relevé, parmi les causes de détresse les plus négligées, le besoin de tendresse et celui de mouvement rythmique. Ces chercheurs ont démontré l'existence d'une relation constante entre l'intensité et la fréquence des pleurs et le nombre et la fréquence des soins maternels. Plus on s'occupe du bébé, moins il pleure. Certains bébés continuent de pleurer même lorsqu'ils s'aperçoivent que l'on s'approche d'eux ou même si leur mère les appelle. Ces mêmes bébés cesseront de pleurer si on les lève et les câline. Le besoin d'une stimulation tactile tendre est un besoin primaire qui doit être satisfait pour que le bébé se développe et devienne un être humain sain et équilibré.

CHAPITRE V

La peau et la sexualité

Car le toucher,
Dieux puissants ! Le toucher
C'est le sens du corps tout entier :
Par lui pénètrent en nous les impressions du dehors,
Par lui se révèle toute souffrance intérieure de
[l'organisme
Ou bien, au contraire, le plaisir provoqué par
[l'acte fécondant de Vénus [1].

La peau n'intervient jamais — dans aucune autre relation — autant que dans l'acte sexuel. C'est principalement par une stimulation de la peau que l'homme et la femme arrivent à l'orgasme dans le coït ; l'homme principalement par les récepteurs sensoriels du pénis et la femme par les récepteurs sensoriels du vagin et des zones périvaginales de la peau. Les régions pubiennes et suprapubiennes couvertes de poils sont très sensibles à la fois chez l'homme et chez la femme. Le Mont de Vénus, *mons veneris*, est encore plus sensible chez la femme que son équivalent masculin.

Cette particularité anatomique remplit plusieurs fonctions. Les deux sexes évitent ainsi de s'irriter et de se meurtrir la peau et de trop peser sur l'os du pubis, lorsque l'excitation sexuelle s'accélère. Lorsqu'ils sont stimulés, les poils supra-pubiens provoquent à l'extrémité des nerfs des modifications chimio-conductrices qui renforcent l'action directe du système nerveux sur la peau et favorisent l'excitation sexuelle. La région périnéale qui va des parties génitales externes à l'anus compris

1. Lucrèce (vers 96 av. J.-C. — vers 53 av. J.-C.), *De Natura Rerum*, II, 434.

est, elle aussi, fournie en poils et en nerfs sensoriels fortement érogènes. De même, la sensibilité des seins est aiguë pour les deux sexes, ainsi que celle des lèvres. On peut provoquer l'orgasme féminin en caressant le Mont de Vénus. Il est rare que le même geste de frotter la région pubienne de l'homme produise le même effet. C'est pourquoi la masturbation féminine peut se réaliser sans contact direct avec le vagin, alors que l'homme se masturbe par excitation directe du pénis.

La question que nous nous posons ici est : est-ce que les individus, qui ont reçu des soins maternels satisfaisants, diffèrent de ceux qui n'en ont pas eu, dans la manière dont ils réagissent aux stimulations tactiles dans les relations sexuelles, au cours des préliminaires, des caresses, et du coït ?

Par malheur il n'y a guère de recherches scientifiques pour nous aider à y répondre. Nous avons vu que les Harlow étaient allés aussi loin que possible dans leurs recherches sur les singes rhésus. Il faut peut-être rappeler qu'aucune des guenons orphelines de mère, et mères elles-mêmes, n'avait montré un comportement sexuel normal de femelle pour se mettre en position et réagir. « Elles étaient engrossées, non pas parce qu'elles le cherchaient, mais grâce à la patience, à la résistance et à la perspicacité de nos reproducteurs mâles. » Apparemment, il est nécessaire d'avoir bénéficié de soins maternels satisfaisants pour développer un comportement sexuel équilibré. Et, pour ce qui nous intéresse, ces « soins maternels satisfaisants » désignent, entre autres choses, l'ensemble des stimulations cutanées qui activent les systèmes de réactions tactiles du bébé, et le préparent ainsi, dès les premiers pas dans la vie, à toutes les situations qui, plus tard, impliqueront un contact tactile. Il semble que ce soit particulièrement vrai du comportement sexuel. C'est d'abord par la peau qu'un individu apprend à reconnaître le genre auquel il appartient, le rôle sexuel qui lui est dévolu et les comportements qu'on attend de lui en retour. Cet apprentissage peut réussir ou échouer.

Le fait d'avoir été tenu dans les bras et bercé par sa mère joue pour l'enfant un rôle important dans son développement sexuel ultérieur. Une mère qui aime son enfant doit le tenir contre elle dans un geste tendre, l'étreindre autant qu'elle l'aime.

Plus tard, c'est ce que l'adulte, homme ou femme, recherchera et prodiguera à l'être aimé. Les enfants qui n'ont pas été suffisamment pris dans les bras et dorlotés souffriront dans leur adolescence, puis en tant qu'adultes, d'une boulimie affective de ces caresses. Le docteur Marc Hollender du département de psychiatrie de l'université de Pennsylvanie a rapporté, dans une grande étude sur le besoin de contact physique, quelques observations portant sur 39 femmes qui présentaient des perturbations psychiatriques aiguës, dont la plus courante était la dépression nerveuse. Dans cette vaste étude, le docteur Hollender et ses collaborateurs ont trouvé que le besoin d'être prises dans les bras et caressées variait, comme tous les besoins, de personne à personne, et pour un même individu variait selon les moments. Pour la plupart, ces femmes trouvaient le contact physique agréable, mais non indispensable. Cependant, les deux extrêmes étaient représentés dans le groupe : d'un côté les femmes qui ressentaient le contact physique comme désagréable, voire répugnant; de l'autre, celles qui le vivaient comme un désir si impérieux qu'il en devenait pathologique.

Le besoin de contact physique, comme les besoins buccaux, peut s'intensifier au cours des périodes difficiles. Mais, alors que l'on peut satisfaire seul et tout de suite ses désirs buccaux par de la nourriture, du tabac, de l'alcool ou toute autre chose, les désirs de contact physique peuvent difficilement se réaliser sans la participation d'une autre personne.

Sur le groupe des 39 patientes, 21, soit un peu plus de la moitié, avaient eu recours à la sexualité pour amener un homme à les enlacer. 26 femmes avaient tout simplement demandé à être enlacées; 9 femmes qui avaient fait cette demande directe n'ont pas eu besoin de l'acte sexuel, et 4 autres ont pratiqué l'acte sexuel sans avoir exprimé explicitement leur désir.

En clair, ces femmes peuvent être allées jusqu'aux relations sexuelles avec des hommes, alors que leur désir était seulement d'être prises doucement dans les bras et câlinées. L'une des femmes, parlant de son désir d'être enlacée, disait : « C'est une sorte de malaise... Ce n'est pas comme un désir émotionnel pour quelqu'un qui n'est pas là. C'est une sensation physique. »

Hollender cite une ancienne call-girl qui disait : « En un sens, je faisais l'amour pour qu'on me prenne dans les bras. » Blinder, dans un débat sur les troubles dépressifs, avait lui aussi mentionné le recours à l'acte sexuel comme moyen d'obtenir un contact physique. « Au mieux, écrit-il, les expériences sexuelles de ces gens profondément malheureux ressemblent plus à une tentative d'établir une sorte de contact humain, même incomplet, qu'à la recherche d'une satisfaction physique. » Malmquist et ses collègues, dans un rapport sur 20 femmes qui avaient eu 3 enfants illégitimes ou plus, constatent :

> 8 femmes sur les 10 affirment qu'elles étaient parfaitement conscientes du fait que l'acte sexuel était le prix à payer pour être caressées et cajolées. Ces 8 femmes déclaraient avoir ressenti plus de plaisir au cours des préliminaires que pendant l'acte sexuel lui-même, qui était simplement une chose qu'il fallait supporter.

D'autres chercheurs ont fait des constatations identiques. Hollender et ses collaborateurs poursuivent :

> La plupart des gens n'acceptent le désir d'être caressés et enlacés que s'il fait partie de la sexualité adulte. Le désir de se blottir et d'être enlacés d'une manière maternelle est considéré comme trop enfantin. Pour éviter la honte et l'embarras, les femmes le transforment en désir d'être prises par un homme, dans un geste adulte, l'acte sexuel.

Si on demande à ces patientes pourquoi elles ne préfèrent pas être caressées par des femmes, elles répondent qu'en fait elles utilisent souvent divers prétextes pour amener leurs amies à les toucher, mais, si cela arrive, elles se sentent très vite mal à l'aise et se retirent. Cette réaction de fuite ne se produit jamais avec les hommes. La plupart de ces femmes liaient leur désir d'étreinte à une sexualité « adulte » et protestaient énergiquement au moindre soupçon d'homosexualité. Manifestement, elles ne voulaient à aucun prix être prises pour des lesbiennes. L'une d'elles affirma que, lorsqu'elle s'était trouvée enlacée par une femme, elle avait rougi et avait craint d'être vue et prise pour une homosexuelle. Une autre femme disait : « Je ne veux pas qu'une femme me touche, ça me fait penser aux lesbiennes. »

Hollender et son équipe pensent que, pour certaines femmes, le besoin d'être prises dans les bras et câlinées les détermine souvent à accepter n'importe quel commerce sexuel.

Il est tout à fait possible que ces femmes aient eu une forte attirance inconsciente vers d'autres femmes qui représentent la mère, mais ce désir ayant été réprimé, elles ont recherché le contact physique avec les hommes et avec les femmes sur la base de l'hétérosexualité conventionnelle. Elles payaient les hommes d'une sexualité indifférente, et fuyaient tout contact un peu étroit avec les femmes de peur que leurs vrais sentiments ne soient décelés. Elles se le cachaient même à elles-mêmes. Certaines patientes apparaissaient dans cette étude si hostiles à l'acte sexuel avec leur mari ou n'importe qui d'autre, qu'elles préféraient refouler leur immense désir de tendresse, plutôt que de se soumettre aux relations sexuelles.

Dans ce qu'il a publié, Hollender ne dit rien de la petite enfance de ces femmes. Cependant, il est très probable que leur grand désir d'être embrassées, enlacées, caressées doucement était une réaction à un besoin insatisfait dans l'enfance.

Lowen a publié un certain nombre d'études de cas de femmes qui avaient souffert d'un manque de stimulations tactiles dans la petite enfance et qui, ultérieurement, s'étaient livrées à des activités sexuelles dans une quête désespérée de leur propre corps.

> Cette activité effrénée, écrit Lowen, peut donner l'impression que ces personnes sont hypersexuées. En fait, elles sont hyposexuées, sinon même asexuées, et leur agitation relève d'un besoin de stimulation érotique, plus qu'elle n'exprime un désir ou une excitation sexuelle. Une telle sexualité ne conduit jamais à la satisfaction ni à l'orgasme et on en revient vide et déçu.

Ce sont là des points importants, parce qu'ils attirent l'attention sur le fait que l'activité sexuelle, dans les sociétés occidentales — on pourrait même dire l'obsession frénétique du sexe qui caractérise la culture occidentale — , n'est pas dans beaucoup de cas l'expression d'un intérêt sexuel, mais bien plutôt une tentative pour satisfaire le besoin de contact physique. A vrai dire, c'est tout le corps qui est une zone érogène. Et Fenichel a bien montré que l'érotisme des attouchements est comparable au plaisir sexuel du voyeurisme (la scopophilie). Les deux sont l'effet de stimuli sensoriels spécifiques dans des situations spécifiques. Dans la progression des satisfactions d'abord prégénitales, buccales et anales, puis à prédominance génitales, l'excitation se centre de plus en plus autour du sexe et finit par prendre le pas sur les sensations des zones érogènes extragénitales.

Les stimulations sensorielles interviennent normalement comme un encouragement à l'excitation et jouent ce rôle dans les préliminaires au plaisir. Les personnes qui ont été réprimées dans leur enfance ont tendance à s'isoler, et ne recherchent l'assouvissement du plaisir que pour leur propre compte. Elles ont donc une intégration sexuelle difficile.

En ce qui concerne les patientes de Lowen, et celles de Hollender, il est à peu près certain que leurs besoins de caresses avait été réprimé. Elles avaient isolé, enfermé, réprimé et bien séparé ce désir de leur besoin anormal et non intégré de relations sexuelles. Le seul besoin qu'elles reconnaissent vraiment est celui du plaisir prégénital à se blottir, se pelotonner et être aimées principalement de cette façon. La très forte corrélation entre le comportement de la mère et le comportement ultérieur de l'enfant se vérifie à beaucoup d'égards, et implique donc qu'il existe une relation de cause à effet entre l'échec d'un comportement parental au début de la vie et un désir anormal de caresses ultérieurement.

On peut expliquer la distinction entre besoin de caresses et besoin sexuel que faisaient les patientes de Hollender par l'existence de deux pulsions de l'instinct sexuel : l'une, la *pulsion de contrectation* (de *contrectare*, « toucher », « penser à... »), se rapporte à l'approche physique et mentale des gens. L'autre, la *pulsion de détumescence* (de *detumescere*, « dégonfler », « apaiser »), se limite aux organes sexuels et à leur périphérie. Moll a établi clairement que chaque pulsion au départ était indépendante de l'autre) : les enfants, par exemple, ont une forte tactilité, mais pas d'intérêt sexuel pour les autres, jusqu'à ce que leur développement soit plus complet. Des sensations tactiles insuffisantes peuvent enrayer le développement de la pulsion de contrectation. L'individu risque alors de se fixer sur la satisfaction de ce besoin à l'exclusion du besoin de détumescence.

Communication et toucher

Dans chaque drame humain, en dernière analyse, il s'agit toujours d'un problème de communication. De même, l'enfant qui n'a pas reçu son content de stimulations cutanées souffre de difficultés d'intégration : il a de la peine à prendre conscience de lui-même comme être humain et comme être aimé. En étant caressé, cajolé, porté, embrassé, bercé, en étant aimé, il apprend à caresser, cajoler, embrasser, bercer, il apprend à aimer les autres. En ce sens, l'amour est sexuel au plus beau sens du terme. Il traduit l'intérêt, le souci, la responsabilité, l'attention aux besoins et aux faiblesses de l'autre. Tout cela se communique à l'enfant par la peau, dans les premiers mois de sa vie, et se renforce progressivement, à mesure que l'enfant grandit, par la nourriture, les contacts visuels et sonores. L'importance capitale chez le nouveau-né des toutes premières perceptions de la réalité par l'intermédiaire de sa peau n'est plus à démontrer. Les messages qu'il reçoit sur sa peau doivent être rassurants, sécurisants et agréables si on veut que l'enfant s'épanouisse. Même lorsqu'il mange, l'enfant a besoin d'être rassuré. Comme Brody l'a montré dans son excellente étude sur les soins maternels : « aucun enfant, quelle que soit sa faim, ne prendra plaisir à manger, s'il n'est pas, physiquement, dans des conditions de confort et de sécurité satisfaisantes ».

C'est une preuve de plus de ce que nous avons avancé avec tant d'insistance jusqu'ici : une mauvaise communication avec le bébé au travers de sa peau se retrouvera probablement dans un développement perturbé de ses fonctions sexuelles.

Freud concevait la peau comme une zone érogène composée d'une part des organes des sens et d'autre part des points érogènes particuliers comme les régions orale, anale et génitale. En fait, cette conception transforme les zones tactiles en zones érogènes, et ce que Freud appelle la sexualité infantile recouvre à peu près la tactilité, comme l'a fait remarquer Lawrence Frank. Au fil de la croissance et du développement de l'enfant, la sensibilité tactile se transforme en relations interpersonnelles, en énergie auto-érotique et finalement en rapports sexuels. On peut regretter que dans son insistance, voire sur-insistance, sur le caractère érogène de la peau, Freud n'ait envisagé l'importance de la peau qu'à l'égard du développement sexuel exclusivement, et qu'il ait quelque peu effacé son rôle dans le développement des autres types de comportement.

Dans ce domaine, il serait stupide de prétendre à plus de connaissance que nous n'en avons. On a publié des milliers de recherches, de monographies, de livres, d'articles sur le sexe sous tous ses aspects, alors qu'on a complètement négligé le rôle des sensations précoces au cours de la période des soins maternels. Brody se demande si « on n'a pas sous-estimé le rôle de l'érotisme précoce de la peau et des muscles dans les satisfactions de l'érotisme buccal et dans les sensations du premier mois de l'existence ». Bien sûr que si! Nous en sommes réduits aux conjectures et aux déductions au lieu de nous appuyer sur un terrain de recherches solides.

La frustration de sensations tactiles précoces peut amener chez l'enfant des comportements de substitution comme toute sorte d'automanipulations, la masturbation, mais aussi le geste de sucer son pouce, son doigt ou son orteil, de se tirer les oreilles ou les cheveux, de se mettre les doigts dans le nez.

Les femmes se plaignent souvent de la gaucherie, de l'incompétence et de l'ignorance crasse des hommes dans les préliminaires sexuels et le rapport lui-même. Le manque de patience des hommes dans les approches et l'impossibilité où ils sont d'en comprendre la signification reflète presque certainement, en substance, le manque de sensations tactiles dont beaucoup de petits garçons ont souffert pendant l'enfance. La brusquerie des hommes pour tenir les femmes et les enfants est encore une preuve de leur manque d'expérience tactile précoce. Car on peut difficilement concevoir quelqu'un qui aurait été aimé tendrement et caressé dans son enfance, et qui n'aurait pas appris à approcher tendrement une femme ou un enfant. Or, lorsque les femmes veulent décrire le comportement sexuel des hommes en général, elles le comparent souvent au gorille, ce qui est une calomnie, car le gorille est une créature douce et gentille. Mais il semble que l'acte sexuel soit pratiqué comme un libérateur de tension plutôt que comme un mode de communication chargé de significations intenses dans une relation humaine profondément enracinée. Sur beaucoup de points la relation sexuelle reproduit la relation d'amour mère-enfant.

Mais posons-nous la question : si les hommes sont aussi touchés par le manque d'expérience tactile précoce, qu'en est-il pour les femmes ? La plupart vivent cette carence de la même manière que les femmes qui s'exprimaient plus haut dans ce chapitre : elles aiment être enlacées et caressées. Ces femmes étaient plus ou moins atteintes de frigidité (ce qu'elles pouvaient cacher sans peine en feignant une excitation qu'elles ne ressentaient pas) ou de nymphomanie, *i.e.* d'un désir insatiable de satisfactions tactiles. Encore une fois, il faut bien insister là-dessus, nous ne disons pas que la frustration tactile dans la prime enfance est la seule responsable de ces états, mais seulement qu'elle peut y participer.

Les femmes se sont toujours plaintes du manque de tendresse des hommes dans la vie en général et dans la vie sexuelle en particulier. Mais aujourd'hui, cette carence a tendance à se généraliser. On peut se demander si ce n'est pas l'effet — du moins en partie, encore une fois — de l'abandon de l'allaitement au sein et de la réduction des sensations tactiles de l'enfant.

Souvent, la mère rejette très tôt les démonstrations d'amour de son fils, de peur qu'il ne reste trop attaché à elle. De même, beaucoup d'hommes repoussent les embrassades de leur fils parce que... « Je ne veux pas qu'il devienne homosexuel », m'a dit un père, médecin de son état. L'ignorance effrayante que révèlent de telles attitudes fait beaucoup de mal à l'enfant et renforce l'incapacité du petit garçon à se situer lui-même corporellement dans ses relations aux autres.

Beaucoup de femmes, surtout dans les classes laborieuses, prennent pour une preuve d'amour indispensable le fait d'être serrées fort dans les bras. A preuve, la célèbre exhortation cockney de la femme à son homme : « Si tu m'aimes, mets-moi sens dessus dessous. » Au Moyen Age déjà, la dimension sexuelle était un élément très évident dans les épidémies de flagellation. L'Église a d'abord approuvé cette pénitence, puis l'a interdite lorsqu'elle a pris conscience de la sensualité qu'elle recelait. Que les participants à ces séances de flagellation tiennent tant à recevoir les caresses des verges accrédite l'idée qu'un très grand nombre d'enfants au Moyen Age ne recevaient pas leur content de stimulations tactiles, ni en quantité ni en qualité.

Gifler les enfants pour maintenir la discipline ou pour toute autre raison transforme la peau en une source de douleur plutôt que de plaisir. On comprend facilement pourquoi les fesses ont toujours été l'endroit privilégié où frapper les enfants. C'est une région proche des organes sexuels et dont les nerfs sensoriels sont associés aux fonctions sexuelles. Frapper les enfants sur les fesses leur procure visiblement des sensations érotiques qui peuvent aller jusqu'à l'orgasme sexuel. On a vu des enfants se conduire délibérément mal pour recevoir cette « punition » désirée, tout en faisant semblant d'en être marris lorsqu'ils la reçoivent.

Rousseau raconte qu'il a appris à huit ans (en fait, il en avait dix) ce qu'était le plaisir sexuel par les fessées que lui administrait sa gouvernante. Elle avait l'habitude de le coucher sur ses genoux pour s'occuper de lui *a posteriori*. Loin d'être humilié de ces atteintes à son intégrité, Rousseau raconte combien il les appréciait, et comment on retira son lit de la chambre de sa gouvernante, lorsqu'elle prit conscience des effets de ses punitions sur son protégé.

Il peut y avoir des éléments de perversion sadique dans la personnalité de certains éducateurs. Mais l'association précoce douleur/plaisir sexuel, dans la fessée par exemple, peut produire des perturbations pathologiques définitives, dites *algolagnia*. L'algolagnia est un état où la douleur et la cruauté procurent un plaisir sexuel voluptueux. Elle peut être active ou passive. Dans l'algolagnia masochiste, c'est la sensation de douleur, de dégoût ou d'humiliation qui produit l'excitation sexuelle. Dans l'algolagnia sadique, c'est le contraire : infliger aux autres la douleur, la peur, l'humiliation, les mettre mal à l'aise est en soi une source de plaisir sexuel.

On punit encore trop souvent les enfants en les fessant ou en les giflant à main ouverte. Leur infliger une douleur de cette manière les prive du bien-être que la peau signifie habituellement pour eux. En conséquence, ils peuvent en venir à associer leur propre peau et celle des autres à la crainte du toucher et à la douleur, et fuir de ce fait les contacts par la peau dans leur vie ultérieure.

Assez souvent, mordre, pincer, gratter ou caresser un peu fort jusqu'au seuil de la douleur agrémente la sexualité normale, pour le plaisir de l'un des partenaires ou des deux. Dans la sexualité pathologique, ce type de comportement s'accentue, et la peau devient le vecteur principal des sensations du plaisir sexuel. La flagellation, généralement sur les fesses et sur les cuisses, avec toutes les sortes de fouets imaginables est une perversion sexuelle très fréquente. Des établissements spécialisés existent depuis longtemps, en Europe en particulier, et sans doute y en a-t-il eu, et y en a-t-il encore en Amérique du Nord et du Sud. Là, contre monnaie sonnante, les clients sont fouettés, rossés, étrillés, bref écorchés vifs pour trouver une satisfaction sexuelle.

Les « vieux satyres » pinçant les fesses des femmes représentent une forme de perversion sexuelle que la société a ouvertement admise et qu'elle trouve presque drôle. De même, certaines femmes expriment leur désir pour un homme en le pinçant avec une telle passion qu'il en reste tout noir de bleus. D'autres, en plein orgasme, hurleront pour qu'on leur fasse mal et tireront du plaisir de la douleur. (Or, la douleur est toujours infligée et ressentie sur la peau.) D'autres encore se laisseront aller aux « morsures d'amour » et aux suçons.

Les femmes, écrit Van de Velde, sont nettement plus portées aux suçons que les hommes. Une femme passionnée laisse souvent un souvenir de son union sexuelle, sur l'épaule de l'homme, sous la forme de la petite marque ovale qui imprime en creux la trace des dents. C'est presque sans exception *pendant le coït* que les morsures féminines se produisent ou immédiatement après. Alors que pour l'homme, mordiller sa partenaire, d'ailleurs plus doucement, plus légèrement et en tout cas, en laissant moins de traces, fait partie du jeu érotique qui précède le coït ou de la phase qui le suit. Le *tourbillon* [1] de l'homme se traduit le plus souvent par des bleus et des contusions sur les bras de la femme.

Van de Velde croit que la manie féminine de mordre pendant l'acte sexuel exprime le désir de donner un baiser plus intense qu'il n'est humainement possible. C'est une tentative pour imprimer quelque chose de durable sur la peau et intensifier les sensations tactiles.

> En fait, écrit Van de Velde, les deux partenaires, l'actif et le passif, tirent un plaisir érotique très vif du petit pincement délicat, doux ou aigu, mais jamais vraiment douloureux que l'homme et la femme échangent lorsque leurs jeux amoureux s'animent, surtout si ces caresses sont très rapides dans une succession de baisers les uns à côté des autres.

On se situe là à la limite du normal et de l'anormal. Le sujet a été admirablement traité par Havelock Ellis et d'autres. Souvent les individus qui présentent des anomalies sexuelles sont aussi sujets à des maladies de la peau. La fréquence extraordinaire de cette corrélation fait supposer qu'il existe non seulement des effets psychosomatiques centrifuges, mais aussi des incidences d'origine centripète. Par exemple, très souvent, ces personnes s'efforcent de résoudre leur problème sexuel en se sécurisant dans une relation étroite de dépendance passive vis-à-vis d'une mère ou d'un substitut maternel. On peut deviner presque à coup sûr que ces gens ont pâti dans leur vie d'enfant d'une insuffisance de soins maternels, et en particulier de l'impossibilité d'une communication affective par la peau.

La scopophilie, dont on a déjà parlé, le plaisir de voir, devient à la limite une perversion, le *voyeurisme*. Le voyeurisme peut

1. En français dans le texte.

se porter exclusivement sur les parties génitales ou s'associer à des objets de dégoût, comme dans le fait de regarder l'accomplissement des fonctions excrémentielles. Ou encore, au lieu d'être un préliminaire au but sexuel, il peut en tenir lieu comme dans l'exhibitionnisme.

Pendant la première année de sa vie, l'enfant fait une association étroite entre regarder un objet, le toucher et le prendre dans la bouche. La relation entre voir et toucher est particulièrement forte. Uriner ou déféquer lui laisse le souvenir d'une sensation d'agréable chaleur. Mais si les besoins oraux ne sont pas complètement satisfaits, s'ils deviennent marqués par l'avidité, la faim, l'insatisfaction avec la peur et le caractère irrité et hostile qui s'ensuivent, alors la sensibilité de l'enfant se réfugie toute dans les fonctions visuelles qui acquièrent une acuité maladive et instaurent divers systèmes complexes de défense et d'inhibition.

Les fonctions libidinale, orale, anale, tactile et visuelle, au lieu de se développer harmonieusement, s'associeront anarchiquement et de façon défectueuse. C'est ainsi que voir finit par remplacer les aboutissements sexuels normaux, comme dans les cas de scopophilie. On peut en dire autant du toucher dans les expressions anormales, comme pincer, griffer ou mordre, avec ou sans intention de faire mal. Ou des différentes formes d'exhibitionnisme. Il est bien rare que l'exhibitionnisme des femmes porte sur la région génitale. Elles montreront plutôt leurs seins ou leurs fesses. Elles l'ont fait presque normalement depuis des millénaires en suivant les caprices de la mode. Les seins nus dans la Crète ancienne étaient la coutume. Et à diverses époques, dans le monde occidental, des accessoires de mode ont attiré l'attention sur les seins ou les fesses. Mais la tentative la plus audacieuse de toutes, celle qui a attiré le regard sur les parties génitales externes, en clair la mini-jupe, date des années soixante. Par contre, les robes « top-less » n'ont jamais vraiment été de mode, et les robes transparentes n'ont eu qu'un succès modéré.

Quoi qu'il en soit, ces phénomènes ne sont en aucun cas des symptômes pathologiques de perturbations sexuelles. Ce qu'ils expriment, c'est le besoin d'amour. Et du fait que le monde occidental identifie l'amour et le sexe, l'attirance sexuelle devient un moyen de réaliser « l'amour ». En ce sens l'amour s'inscrit « à fleur de peau ». Plus la femme montre sa peau, plus elle est censée être désirable. Cette forme de scopophilie est devenue normale pour la plupart des hommes du monde occidental. Les hommes sont attirés, comme dans un phénomène phototropique, à la vue d'une femelle aux formes curvilinéaires conventionnelles. D'où l'accent mis sur la nudité. Dans ce cas, la peau n'est pas tellement associée à la sexualité. Le véritable exhibitionniste, en effet, peut être très prude vis-à-vis de la nudité, et interdire à sa femme de se montrer nue, ou de le voir nu. Des attitudes puritaines de cette nature sont caractéristiques de certaines familles d'exhibitionnistes. Dans ces familles, la frustration de relations affectives et cutanées tout au long de l'enfance est fréquente.

La tactilité selon les sexes

La femme, à tous les âges, semble être beaucoup plus réceptive et réagir davantage aux stimuli tactiles que l'homme. Son éveil érotique dépend beaucoup plus du toucher et des caresses que celui de l'homme, qui dépend davantage des stimuli visuels. La différence est en partie génétique, mais les différences culturelles jouent sans aucun doute un rôle important dans le développement d'une sensibilité tactile différente pour les deux sexes.

La stimulation tactile a beaucoup plus de significations pour les femmes que pour les hommes. Comme le dit Fritz Kahn, pour une femme le contact corporel est un acte d'une grande intimité, une faveur difficile à obtenir. Une femme qui refuse un contact intime avec un homme se révolte d'indignation s'il la touche contre son gré et le repousse avec ces mots de toujours : « Comment osez-vous me toucher ! »

Différences selon les sexes dans l'expérience tactile

Sauf pour les États-Unis, on a peu d'informations sérieuses pour comparer les différences d'expériences tactiles auxquelles est confronté chaque sexe dans nos sociétés. Margaret Mead a attiré l'attention sur le fait que les mères américaines ont tendance à être plus proches de leur fille que de leur fils; de nombreux chercheurs ont confirmé cette observation. D'après son expérience clinique, Erickson a tracé ce portrait de la mère américaine : « Elle évite délibérément les stimulations émotionnelles ou sexuelles vis-à-vis de son fils, même dans la petite enfance. Elle manque volontairement de comportement maternel. » Sears et Maccoby dans leur étude du passé des enfants mentalement arriérés aux États-Unis ont trouvé que les filles recevaient plus de démonstrations d'affection que les garçons, et que les mères semblaient plus heureuses d'avoir des filles que des garçons. On s'est aussi aperçu, par exemple, dans l'étude de Fischer sur une petite ville de la Nouvelle-Angleterre, que les filles étaient sevrées plus tard, ce qui semble indiquer une attitude plus indulgente à leur égard. Clay, dans son étude sur les interactions tactiles du couple mère-enfant aux USA, considérait aussi que les filles recevaient dans l'enfance plus de stimulations tactiles que les garçons.

Cette différence d'expérience tactile intervient probablement, en partie au moins, dans le fait que les femmes américaines sont beaucoup moins fermées à la sensibilité tactile que l'Américain moyen.

CHAPITRE VI

Croissance et développement

L'homme est un animal de croissance
Et son seul droit de naissance, c'est de
[grandir.

Anon.

La croissance est une notion quantitative de taille. Le développement, une notion qualitative de complexité. Cela posé, quel est le rôle des sensations tactiles dans la croissance et le développement de l'organisme, si tant est qu'elles en aient un ? Les faits sont indéniables : l'expérience sensorielle joue un rôle fondamental dans la croissance et le développement de tous les mammifères étudiés jusqu'ici, et probablement aussi des non-mammifères.

Lawrence Castler a attiré notre attention sur le fait que les effets pathologiques de la privation maternelle (dont Bowlby et d'autres parlaient avec beaucoup de compétence) sont probablement dus à des carences sensorielles, à un manque de perceptions principalement tactiles, mais aussi visuelles et vestibulaires (le vestibule est la pièce maîtresse de l'oreille interne qui communique avec la cochlée, l'organe essentiel de l'ouïe, et les canaux semi-circulaires qui nous donnent le sens de l'équilibre).

Lorsque nous en saurons plus sur l'amour maternel, nous pourrons sans doute le décomposer en diverses fonctions : biologique, chimique, physiologique, kinesthésique, tactile, visuelle, auditive et autres... Pour l'instant, nous pouvons seulement, à partir des observations réalisées sur des animaux, essayer de voir en quoi l'expérience sensorielle affecte la croissance et le développement de l'homme. Nous commencerons donc par exposer les découvertes réalisées sur des animaux autres que l'homme, et nous aborderons ensuite les observations concernant les incidences des sensations tactiles sur l'homme lui-même.

Les observations sur les animaux

Dans une série d'expériences réalisées à l'école médicale de l'université du Colorado, le docteur John D. Benjamin a pris 20 rats de laboratoire et les a élevés exactement de la même manière, les nourrissant de la même façon et en même quantité. Mais alors qu'il choyait et caressait certains d'entre eux, il traitait froidement les autres. L'un des chercheurs de son équipe aurait dit : « Ça paraît bête, mais les rats cajolés apprenaient mieux et grandissaient plus vite. »

Loin de paraître bête, c'est exactement ce que nous attendions. La croissance et le développement d'un organisme vivant dépend pour une bonne part des stimulations qu'il reçoit du monde extérieur. Il faut que ce soit principalement des stimuli agréables, exactement ceux que son apprentissage et son niveau de développement requièrent. Alors, conformément à ce que nous supposions, les animaux qui ont été cajolés lorsqu'ils étaient tout petits ont tendance à être moins émotifs au cours des tests d'exploration, par exemple, ils défèquent et urinent moins et montrent plus d'audace pour explorer un environnement étranger que ceux qui n'ont pas été touchés au cours de la période qui précède leur sevrage. Ils sont aussi plus aptes à apprendre une réponse conditionnée d'évitement. Caresser les animaux avant le sevrage a encore d'autres effets : le cerveau est plus lourd, le cortex est mieux développé. On a trouvé aussi plus de cholestérol et de cholinestérase dans le cerveau des rats caressés, ce qui indique un développement nerveux plus avancé, en particulier au niveau de la formation des gaines de myéline.

Les rats caressés font preuve de plus de vivacité, de curiosité et résolvent mieux des problèmes. Ils ont aussi tendance à être plus dominants que les autres.

La croissance du squelette et du corps est plus rapide chez les rats, la nourriture est mieux utilisée et nous avons déjà dit qu'ils étaient moins émotifs dans les situations éprouvantes[1]. On a aussi déjà insisté sur le fait que les animaux caressés disposaient une fois adultes d'un système immunologique mieux développé et plus efficace. C'est d'ailleurs là une découverte tout à fait remarquable. On ne sait pas encore bien pourquoi, mais on suppose que les hormones de réaction à l'environnement extérieur doivent affecter la fonction du thymus, qui joue un rôle important dans l'élaboration des capacités immunologiques. L'hypothalamus, dont on connaît le rôle dans l'immunisation, intervient peut-être aussi.

L'axe hypophyse-surrénale, qui est le système d'alarme-réponse du corps, se développe plus rapidement chez les rats domestiques. Les rats caressés tout petits se rétablissent des électrochocs nettement plus vite et plus complètement que les autres.

Nous nous attendions bien que les stimulations tactiles soient, à beaucoup d'égards, d'autant plus importantes pour le développement de l'organisme qu'elles sont données plus tôt dans la vie. Et cela s'est vérifié à l'expérience. Par exemple, Levene a constaté que les rats manipulés présentaient une plus grande stabilité émotive, comme le prouvent leur activité d'excrétion, leur activité générale, etc. Mieux encore, les rats surcaressés, ceux qui ont reçu encore plus de caresses que le régime ordinaire, avaient de meilleures aptitudes d'apprentissage et de mémorisation que les deux autres groupes.

Urie Bronfenbrenner a très clairement résumé les effets de la manipulation :

> Premièrement, les effets sont généralement bénéfiques à l'organisme au double plan physio et psychologique. Par exemple, on a prouvé que la manipulation des animaux renforçait leur résistance à la douleur, élevait leur niveau général d'activité et facilitait leur apprentissage. Deuxièmement, c'est pendant les 10 premiers jours après la naissance, que la présence ou l'absence de manipulations

1. Voir p. 16 s. au chapitre I.

est la plus décisive. Encore qu'on ait enregistré des effets importants sur des animaux caressés plus tard, à l'âge de 50 jours.

Des facteurs endocriniens et neurologiques contrôlent donc la croissance et le développement. On sait bien que des facteurs émotionnels peuvent influencer la croissance et le développement de l'organisme, notamment en modifiant les sécrétions hormonales. Les animaux qui ont bénéficié de sensations tactiles satisfaisantes réagiront très différemment de ceux qui n'ont pas cet acquis. Les différences émotionnelles se traduisent par des modifications nerveuses, glandulaires, biochimiques, musculaires et cutanées. On a mesuré ces différences sur des animaux caressés et non caressés, et les résultats ont confirmé que les animaux caressés étaient à tous égards mieux armés que les autres.

Je peux affirmer en toute certitude, je crois, que l'animal qu'on a mal caressé ou insuffisamment est un être insatisfait au niveau émotionnel. Jusqu'à présent, on ne considérait pas la satisfaction des besoins tactiles comme fondamentale, les besoins fondamentaux étant ceux qu'il fallait satisfaire pour que l'organisme survive. Or, en fait, le besoin de sensations tactiles *est* fondamental, puisqu'il doit être satisfait pour que l'organisme survive. L'organisme mourrait si l'on cessait totalement de stimuler la peau. Nous nous intéressons moins à ces considérations tout-ou-rien, qu'aux stimulations tactiles dont l'organisme a besoin, leur quantité, leur qualité, leur fréquence, et les périodes privilégiées pour les prodiguer. Car l'expérience nous prouve abondamment que, pour tout organisme muni d'une peau, il existe des périodes clés pendant lesquelles il faut stimuler la peau, pour que l'organisme se développe normalement.

La période qui précède le sevrage est d'une importance cruciale, du fait de la complexité de la nouvelle existence du nouveau-né et du nourrisson; il se trouve alors confronté aux mêmes sensations d'insécurité qu'un scarabée renversé sur le dos, lorsque ses pattes perdent contact avec la terre. L'enfant a alors besoin d'une sécurité tangible, de sentir un contact rassurant avec un autre corps.

Les observations sur des enfants

Le développement plus ou moins précoce du système nerveux de l'enfant dépend en grande partie des stimulations tactiles qu'il reçoit. En tout état de cause, les stimulations tactiles sont nécessaires à son équilibre.

Yarrow, au cours d'une étude sur les premiers soins maternels, se disait très frappé d'avoir découvert à quel point les stimulations maternelles influençaient le développement et les progrès du bébé pendant les 6 premiers mois.

La quantité et la qualité de ces stimulations sont proportionnelles au quotient intellectuel de la mère. Yarrow écrit :

> Nos observations nous font penser que les mères qui prodiguent des stimulations importantes et intenses à leurs enfants et les encouragent à exercer leurs aptitudes réussissent à les rendre aptes à un développement rapide.

A contrario, dans les orphelinats, le manque de stimulus dans la petite enfance est un facteur qui tend à retarder le développement des enfants.

Yarrow relate aussi le cas de plusieurs enfants chez qui le manque de contact dans la petite enfance avait produit des perturbations de la tactilité chaque fois qu'il y avait conflit avec la mère.

Province et Lipton ont comparé 75 enfants élevés en orphelinat et 75 autres élevés en famille. Ils ont constaté que les enfants des pensionnats avaient des réactions étranges lorsqu'on les prenait dans les bras, restaient longtemps à se dandiner, étaient habituellement calmes et dormaient beaucoup trop. Ils ne se blottissaient pas dans les bras des adultes, n'étaient pas caressants, et leur corps manquait de souplesse... A l'âge de 5 à 6 mois, la plupart d'entre eux commencent à se balancer, et à 8 mois, tous le font. Province et Lipton ont distingué quatre sortes de balancements : 1. un balancement passager, réaction normale à la frustration; 2. le balancement comme activité auto-érotique des enfants qui ont souffert à un degré quelconque de privation maternelle; 3. le balancement des enfants souffrant de psychose infantile due à leur retrait vis-à-vis du monde extérieur; 4. l'enfant qui se balance pour se soulager et s'autostimuler.

Shevrin et Toussieng ont observé à la clinique Menninger des jeunes malades au comportement tactile perturbé. Ils postulaient l'existence chez ces enfants d'un optimum de stimulation tactile laissé insatisfait d'une manière ou d'une autre dans la petite enfance. « Nous avons trouvé des frustrations de cette nature, écrivent-ils, dans l'histoire de chacun des enfants que nous avons étudiés jusqu'ici. » D'après Shevrin et Toussieng, si les enfants reçoivent trop ou trop peu de stimulations tactiles, cela provoque des conflits qui interfèrent sérieusement avec leur développement psychique. On peut suivre le fil de ces conflits et en remonter le cours dans les pensées et les agissements des enfants gravement perturbés de tous âges. La plupart du temps, ces enfants ne surmontent pas les conflits tactiles par le refoulement ou d'autres défenses psychiques. Ils se défendent plutôt en élevant le seuil de réceptivité de tous les stimuli venant de l'extérieur ou de l'intérieur du corps. Ou alors, ils se protègent en mettant des distances entre eux et les autres. Leur production imaginaire porte fortement l'empreinte de ces conflits et prend généralement la forme d'un refus alambiqué de leur besoin de contact. Mais, malgré cela, le besoin de stimulation tactile persiste. Shevrin et Toussieng pensent que les enfants ont recours à certains comportements rythmiques, comme le balancement, pour ne pas se priver totalement de stimulations tactiles lorsque leur seuil de réceptivité est trop élevé.

Le besoin de contact corporel chez les enfants est irrépressible. Si ce besoin n'est pas satisfait correctement, l'enfant en souffrira même si tous ses autres besoins sont comblés. Nous sommes bien conscients de l'importance de satisfaire des besoins aussi fondamentaux que la faim, la soif, le sommeil, le repos, l'élimination urinaire et intestinale, d'entretenir chez les enfants les réflexes d'évitement des stimuli dangereux ou douloureux, car si ces besoins ne sont pas satisfaits, les conséquences sont très apparentes. Alors que l'impossibilité ou le refus de satisfaire les besoins tactiles a des conséquences moins évidentes. Du coup, ces besoins ont été largement sous-estimés. Il est important que nous commencions à comprendre combien il est nécessaire à la croissance et au développement harmonieux d'un enfant de satisfaire correctement ses besoins tactiles.

Nous n'avons pas vraiment de preuve que les stimulations tactiles, ou leur absence, affectent directement la croissance et le développement physique ou psychologique du bébé humain. Nous manquons de preuve, pour la simple raison que personne n'en a cherché chez l'homme. Cependant, nous l'avons vu, nous disposons de nombreuses observations précises à ce sujet chez les animaux, hors l'espèce humaine. Une grande quantité d'observations directes sur des bébés humains viennent aussi étayer solidement notre hypothèse et confirmer que les stimulations tactiles sont au moins aussi importantes dans la croissance physique et psychologique pour les êtres humains que pour les jeunes animaux.

Lorsque les besoins tactiles du bébé humain ne sont pas satisfaits, on voit nettement comment la frustration peut faire de mal à l'enfant et donc combien la satisfaction de ces besoins dès les premiers âges est importante.

Le syndrome de la privation maternelle est une des conséquences de soins maternels réduits au minimum. Il comporte, entre autres choses, une frustration tactile importante. Presque toujours la peau de ces enfants présente — au lieu de l'aspect rose et ferme des enfants en bonne santé — une pâleur profonde et une certaine atonie. Souvent ces enfants souffrent de divers troubles de la peau.

Patton et Gardner ont publié des statistiques détaillées sur les enfants privés de soins maternels. Les chiffres montrent à quel point leur croissance physique et mentale en a été gravement perturbée. Par exemple, la croissance des os d'un enfant de 3 ans, qui avait grandi sans soins maternels, était exactement la moitié de celle des os d'un enfant normal. Les enfants frustrés sur le plan émotionnel souffrent de graves retards de croissance à tous les niveaux. Nous avons aujourd'hui abondance de textes sur le sujet.

On a démontré que les enfants perturbés émotionnellement, du fait d'un environnement familial défavorable, ont tendance à souffrir d'insuffisance hypophysaire. Leur petite taille s'associe souvent à des problèmes d'insuffisances hormonales (hormones de croissance et ACTH). Lorsque ces enfants sont transplantés dans un environnement favorable, ils font une brusque poussée de croissance, et leur sécrétion hormonale se régularise.

La privation tactile entraîne à peu près les mêmes mécanismes physiologiques que la privation maternelle ou les perturbations émotionnelles. Tous ces mécanismes vont rejoindre l'ensemble des phénomènes qu'on regroupe sous le nom de « choc ».

Le processus de naissance représente une longue succession de chocs, que chaque nouveau-né subit, et rien n'est mieux calculé pour adoucir les effets de ces chocs que les caresses de la mère à l'enfant et la tétée qu'elle lui donne dès la naissance, aussitôt que possible. Lorsqu'il est ainsi rassuré au niveau de sa peau, les effets du choc de la naissance vont progressivement se dissiper. Mais si on ne l'aide pas, les effets du choc vont persister et affecter plus ou moins son développement et sa croissance ultérieurs. Nous en savons beaucoup plus aujourd'hui sur la nature du choc et ses effets, qu'il y a seulement quelques années.

Ce que l'enfant ressent

Chez les enfants nés à terme, la douleur et le toucher ne se distinguent pas vraiment. McGraw a pu écrire :

> Les premières heures ou même les premiers jours, certains enfants ne manifestent aucune réaction apparente à une irritation cutanée comme un petit pincement. Il est impossible de savoir si cette absence

146

de réaction tient au fait que le mécanisme sensoriel n'est pas encore développé ou si la connection n'est pas établie entre les sens sensoriels et somatiques ou entre les centres récepteurs et les mécanismes qui commandent les pleurs et les cris. En général, ces mêmes enfants réagissent à une stimulation sur les points de toucher profond. En tout état de cause, cette période d'hypoesthésie ne dure pas. A la fin de la première semaine ou au bout de 10 jours, la plupart des enfants réagissent à une irritation cutanée.

De nombreux chercheurs ont noté cette relative insensibilité des nouveau-nés à la stimulation cutanée.

En grandissant, les récepteurs sensoriels de la peau se multiplient et le réseau de sensibilité qu'ils tissent couvre une plus grande surface et se densifie. La fatigue sensorielle du nouveau-né après la naissance est en grande partie responsable de son peu de sensibilité.

Initialement, le sens tactile du bébé est très diffus. Il n'identifie pas précisément les sensations ponctuelles, mais il transmet plutôt des impressions globales. Le toucher et la douleur ne se distinguent pas vraiment, et la capacité de l'enfant à reconnaître distinctement les stimuli tactiles se développe progressivement de la même façon que la sensibilité revient après qu'un nerf ait été sectionné. Henry Head, éminent neurologiste anglais, a décrit dans le détail ce phénomène physiologique. Lorsque la sensibilité commence à revenir, elle est ressentie d'une manière très généralisée. On l'appelle sensibilité protopathique. La sensation, qui n'est au départ perceptible que sur une zone en général, devient au fur et à mesure plus localisée, plus précise, jusqu'à ce qu'on puisse la situer exactement. C'est ce qu'Henry Head a appelé la sensibilité épicritique. Au départ, le sens tactile du nouveau-né est en grande partie protopathique, et l'enfant ne développe que progressivement son sens épicritique qui le rend capable de localiser précisément le point de stimulation.

L'enfant commence à savoir localiser un point de toucher à l'âge de 7 à 9 mois environ et ne sait vraiment bien le faire que vers 12 à 16 mois.

Les bébés n'ont probablement pas tous la même sensibilité cutanée. Escalona l'a expliqué :

147

Il n'y a aucun doute que la « conscience » de la peau en quelque
sorte, c'est-à-dire les sensations qui sont transmises par la peau,
est aiguë et permanente, constamment en éveil chez certains bébés,
et moins intense chez d'autres.

Et Escalona poursuit en soulignant qu'on prodigue beaucoup
plus de soins aux bébés qui ont une peau hypersensible et qu'on
les manipule beaucoup plus souvent que la normale. On a
tendance à donner à ces bébés une quantité inhabituelle de
stimulations tactiles pendant leurs heures de veille ou de demi-
sommeil. Dans le monde occidental, c'est peut-être un grand
avantage pour un bébé d'avoir une peau aussi sensible, des
irritations par les couches et autres perturbations dermato-
logiques, car alors, il est assuré de recevoir au moins une certaine quantité de stimulations tactiles.

Trois siècles avant nous, Thomas Hobbes écrivait : « Il n'y
a aucune conception de l'esprit humain qui ne soit née des
organes des sens. » L'enfant construit la réalité du monde
extérieur, sa forme, sa configuration, son espace, les images
qui en émergent et leur environnement à partir des éléments
de construction qui lui sont fournis par son expérience, par les
perceptions de tous ses sens, mais toujours avec la suprématie
du toucher qui évalue, mesure, classe et met en relation ces
sensations les unes avec les autres. Si l'objet qui me porte et
me procure du plaisir le fait suffisamment longtemps et de
manière répétée, j'en viendrai à reconnaître avec plaisir son
visage et éventuellement toutes les parties de son corps que je
peux voir et toucher. C'est bien sûr ma peau qui m'apprend
tout d'abord que ce visage procure du plaisir, car je suis un
bébé, et un bébé ne peut se faire une idée des choses ou des
sensations que par sa peau. Il en va ainsi pour toutes les autres
sensations que je vis.

Comment peut-on ressentir une sensation, quelle qu'elle
soit? En fait, tous les sens sont d'une manière ou d'une autre
des récepteurs cutanés. On peut dire que les yeux, les oreilles,
le nez et bien sûr la langue commencent par « sentir » avant de
voir, entendre, sentir ou goûter. Le bébé, dès qu'il en est
capable, soumet tout objet à des tests, les met dans la bouche s'il

le peut; la sensation qu'il éprouve alors dans la main et dans la bouche lui apprend tout ce qu'il désire savoir. Il en vient ainsi à différencier progressivement le sens du toucher des autres sens. Peu à peu, il est capable de distinguer chaque sensation et chaque objet séparément et de les reconnaître d'après leurs caractères propres, sans plus avoir besoin du relai de la peau.

Sylvester a dit :

> La sensibilité de la mère et le choix de ses réactions facilitent pour le bébé le passage d'une sensibilité globale par les récepteurs de proximité à une sensibilité plus orientée vers les récepteurs de distance. Dans les premiers âges de la vie, le sentiment de sécurité de l'enfant repose sur le contact de sa peau et sur ses sensations kinesthésiques lorsqu'il est pris dans les bras et porté. Par la suite, la vue et l'ouïe contribuent à lui donner ce sentiment de sécurité, en lui permettant de s'orienter et de maintenir, même de loin, le contact avec sa mère.

Quelquefois, poursuit Sylvester, le bébé continue de dépendre de ses contacts cutanés, et n'arrive pas à utiliser la vue et l'ouïe pour s'orienter et communiquer. Cela peut arriver du fait « d'attitudes maternelles primaires » ou du fait de conditions particulières qui excitent la sensibilité de la peau (par exemple l'eczéma infantile ou l'absence d'autres organes sensoriels). Toujours d'après Sylvester, on peut souvent remonter à des perturbations précoces de cette nature pour trouver l'origine des « difficultés courantes d'orientation ou de représentation du corps » chez l'enfant.

Quand la mère et l'enfant se sont bien adaptés l'un à l'autre, les réponses de la mère se font au rythme des besoins de l'enfant. Sa souplesse à elle se reflétera dans le développement de ses facultés de perception à lui. La mère est la source principale des flux et des reflux de stimuli qui s'adressent à l'enfant et donc la source principale de son confort. C'est elle qui, la première, satisfait les besoins de l'enfant qui seront par la suite assumés par l'enfant lui-même. D'après Sylvester...

... si une mère empêche un enfant d'aller et venir près d'elle à sa guise, il peut se venger ou se consoler de ces interdits sur des objets inanimés, en les serrant fort contre lui, ou au contraire en s'en tenant à distance. Il est possible que contraindre un enfant à substituer ainsi des objets aux personnes soit l'une des racines de la mécanisation humaine.

Escalona écrit :

> Dès que l'enfant paraît, on réagit à sa présence et lui-même réagit à la présence des autres. Plus l'enfant grandit, et plus les contacts deviennent fréquents, variés et complexes. La nature de ces contacts est un facteur déterminant de la façon dont il vivra le monde qui l'entoure et de la qualité des relations humaines qu'il sera capable d'établir quand il sera grand.

Le bébé développera un sens du vrai et du faux selon les impressions sensorielles, agréables ou pas, qu'il reçoit principalement au travers de la peau. Les sens de l'espace, du temps et de la réalité chez l'enfant sont tout d'une pièce. Tout d'abord, et pendant longtemps (dans la matrice), l'enfant les vit comme quelque chose d'agréable. Ensuite, il en perçoit la signification, et plus tard il les appréhende comme les événements qu'il peut prévoir. La notion de temps chronologique reste vide de sens jusque bien plus tard dans le développement de l'enfant. Escalona a imaginé les premiers pas vers la maîtrise du temps et de l'espace à peu près ainsi :

> Au début, le monde est une succession de sensations et d'états sensibles différents. Ces sensations varient selon leur qualité, leur distribution et leur intensité. Elles sont indistinctes sauf dans leur différence de nature. Nous disons de la faim qu'elle nous tiraille de l'intérieur et nous ressentons bien un froid piquant ou un bruit aigu comme nous parvenant de l'extérieur. Le bébé n'a alors aucune idée précise de ce qu'est l'approche, l'évitement ou une direction quelconque. Même s'il tourne la tête vers le sein et l'attrape, sa sensation réelle est que le sein vient à lui ou simplement qu'il existe : il n'a aucune expérience à opposer à celle-ci. Des oppositions telles que la lumière et l'obscurité, le doux et le rugueux, le froid et le chaud, le sommeil et les heures de veille, les traits du visage de la

mère vus du dessous, de face et même du dessus; le fait d'être pris dans les bras, puis reposé, d'être déplacé ou de se déplacer, de voir des gens, des rideaux, des couvertures et des jouets en mouvement; toutes ces sensations s'approchent, se retirent et couvrent l'ensemble des sensations possibles. Il s'en produit à chaque fraction de seconde dans n'importe quelle circonstance. En se répétant, certaines sensations forment des points de référence. Par exemple, une certaine façon d'être pris dans les bras, certaines sensations kinesthésiques particulières, la transformation de son environnement visuel provoqué par le passage du bébé à la position verticale lui font prendre conscience de lui-même comme une entité qu'on lève et qu'on déplace.

La répétition des sensations de même nature est importante, car elle constitue l'essence même de ce processus de développement. Les « îlots de référence » qui se forment ainsi ont leur propre rythme et leur propre identité, à côté des sensations de base que sont les repas et les bains. Et Escalona croit qu'ils permettent aux enfants d'acquérir une conscience d'eux-mêmes comme entités à qui il arrive des choses et qui peuvent faire arriver des choses.

Celui qui n'est pas porté, bougé, bercé est moins susceptible de prendre conscience de lui-même grâce aux sensations de mouvement passif, et il identifiera plus difficilement le toucher et le « tempo » de sa mère.

Au début, le bébé manque de structure psychique et aussi du sens des limites entre le psychique et le somatique. Il est incapable de distinguer l'intérieur de l'extérieur, le « moi » du « non-moi ». En un mot, il est dans un état d'indifférenciation psychique. Dans cet état, il fait des identifications primaires et assimile les satisfactions de ses besoins à des parties intégrantes de son propre corps. Spitz souligne que l'enfant a quelques difficultés à réaliser ces identifications primaires si la mère le réprime dans la satisfaction de son besoin spontané d'être touché.

Le processus que Mahler appelle individuation/séparation conduit à la construction d'une personnalité par l'intermédiaire des identifications secondaires. Le bébé fait ses premiers pas dans la formation de son égo en se reconnaissant dans les soins que sa mère lui donne; l'étape ultérieure des identifications secondaires commence à l'âge de 6 mois. A ce moment-là le bébé acquiert les gestes et les moyens de construire son indépendance vis-à-vis de sa mère. Les sensations tactiles de ces 6 premiers mois sont fondamentales pour le déroulement harmonieux des identifications primaires et la mise en place des identifications secondaires.

Comme nous le verrons, en détail, au chapitre suivant, les différences d'expériences cutanées chez les enfants, au sein d'une même culture et d'une culture à une autre, se traduisent par des variations importantes dans le rythme de leur développement et dans les relations qu'ils entretiennent entre eux.

Pour approfondir la question, Landauer et Whiting ont comparé dans 24 sociétés différentes la relation entre les pratiques douloureuses infligées aux enfants et la stature des hommes adultes. Les pratiques douloureuses qu'ils ont étudiées étaient les suivantes :

1. *Mutilation* : percer le nez, les lèvres; la circoncision; l'infibulation, etc.
2. *Modification du corps* : tirer sur les bras, sur les jambes, modeler la tête, etc.
3. *Douleurs extérieures* : la chaleur, les bains chauds, le feu, une intense luminosité, etc.
4. *Le grand froid* : les bains froids, un séjour prolongé dans la neige ou dans le froid, etc.
5. *Douleurs intérieures* : émotion, excitation, lavement.
6. *Abrasions* : frotter la peau avec du sable, etc.
7. *Les stimulations sensorielles intenses*.
8. *Les contraintes* : l'emmaillotement, etc.

D'après leur analyse, on a constaté que la taille moyenne des hommes adultes avait 5 centimètres de plus dans les sociétés où on modelait et étirait régulièrement la tête ou les membres du bébé, où on leur perçait le nez, les oreilles ou les lèvres, où ils étaient circoncis, vaccinés, inoculés, ou encore où on leur faisait les marques rituelles de la tribu en leur coupant ou en leur brûlant la peau ; les hommes y étaient plus grands en moyenne que dans les sociétés où on ne pratiquait pas ces coutumes.

Nous allons expliciter maintenant la question de la différence que nous établissons entre la « manipulation » et les « caresses ». La plupart des chercheurs ont considéré la manipulation comme une épreuve pénible pour l'animal alors que les caresses étaient censées être une expérience rassurante et confortable. Les pratiques que Landauer et Whiting ont prises comme critères étaient sans doute très éprouvantes. La question reste posée de savoir si elles n'étaient pas agréables en même temps au moins d'une certaine manière. Ces chercheurs se sont bien rendu compte que les pratiques le plus directement liées à l'accroissement de taille étaient, pour la plupart, celles qui correspondaient à une élévation du statut social, au passage d'un grade à un autre, à un embellissement et donc à une plus grande considération de soi.

Que ce soit une conséquence directe ou indirecte d'une sensation tactile éprouvante, les gratifications agréables qui suivent ces opérations sont tout à fait considérables ; dans de nombreuses sociétés, on décore la peau en l'incisant, en la piquant, en frottant de la poussière sur les blessures, en la tatouant, etc. Malgré la douleur, ces emblèmes sont très recherchés pour leur valeur gratifiante. Même chez les rongeurs, il existe une récompense après la manipulation ; lorsqu'ils sont relâchés sans qu'on leur ait fait de mal et rendus à la liberté de leur cage, il s'agit bien d'une récompense. Chez les êtres humains, la combinaison d'une sensation cutanée éprouvante avec les sensations hautement gratifiantes qui suivent à coup sûr contribue à l'accroissement de taille qu'on a pu observer.

Les anomalies du développement qu'on attribue au manque de contact avec la mère s'expriment souvent sous forme de troubles cutanés. Comme Flanders Dunbar l'a dit en résumant ses observations :

> Il faut bien voir que la peau, comme les autres organes des sens, a de grandes chances d'être malade lorsque le contact du patient

avec le monde extérieur a été perturbé à un âge précoce. Il s'avère que beaucoup de troubles cutanés cessent lorsque le contact avec le monde extérieur s'améliore.

Beaucoup de patients qui souffrent de maladies de la peau ont subi des interdits précoces dans leurs manifestations tactiles et dans leurs sensations. Le docteur W. Winnicott dit :

> La plus petite lésion de la peau, si elle concerne les sensations, concerne l'ensemble du corps. Les interdits relatifs à l'expérience tactile commencent par « non, non, ne touche pas », et par voie de conséquence « ne te laisse pas toucher ».

Du fait que la peau est un organe d'étreinte et de contact, on peut interpréter beaucoup de troubles cutanés comme l'expression de l'ambivalence de ces expériences tactuelles intimes.

Depuis le premier contact avec les mains de la personne qui délivre le bébé jusqu'au contact avec le corps de la mère, la communication tactile est essentiellement une relation réciproque. Donc, tout échec de quelque importance dans ces contacts peut produire un trouble important dans les relations réciproques ultérieures; cela se traduit parfois sous forme de schizophrénie ou d'autres troubles du comportement, pour ne pas parler des maladies respiratoires comme l'asthme.

Alexander Lowen a publié un excellent rapport sur la relation entre la schizophrénie et l'échec de l'expérience tactile précoce, dans son livre *The Betrayal of the Body* (la trahison du corps). Partant de l'étude clinique de nombreux cas de schizophrénie, Lowen montre que la sensation d'identité vient de la sensation du contact avec le corps. Pour savoir qui il est, l'individu doit être conscient de ce qu'il sent. C'est précisément ce qui manque au schizophrène. Il a une perte complète du contact avec son corps, à un point tel qu'il ne sait plus, pour ainsi dire, qui il est. Il n'est plus en contact avec la réalité. Il est conscient qu'il a un corps et qu'il est donc localisé dans le temps et dans l'espace.

> Mais du fait qu'il n'identifie pas son ego et son corps et qu'il ne le perçoit pas de façon vivante, il ne se sent pas en relation au monde

et aux gens. De même, la conscience de son identité n'est pas liée à la façon dont il se sent.

Dans l'état schizoïde, il y a une dissociation entre l'image et la réalité. La personne équilibrée a une image d'elle-même en accord avec la façon dont elle sent et voit, puisque normalement les images acquièrent une réalité en s'associant avec des sensations ou des perceptions. La perte du contact avec le corps aboutit à la perte du contact avec la réalité. L'identité personnelle n'a de substance et de structure que pour autant qu'elle est fondée sur la réalité des sensations du corps.

En ce qui concerne les troubles allergiques, le docteur Maurice J. Rosenthal a voulu vérifier la « thèse selon laquelle l'eczéma se produit chez certains bébés prédisposés parce qu'ils n'ont pas pu obtenir de leur mère ou du substitut maternel un contact physique doux et satisfaisant comme les caresses et les cajoleries ». A cette fin, il a interrogé 25 mères ayant des enfants de moins de 2 ans souffrant d'eczéma et a constaté qu'en fait l'hypothèse qu'il souhaitait vérifier était amplement confirmée. Dans la plupart des cas, les mères n'avaient pas prodigué suffisamment de contacts cutanés à leurs enfants.

En parlant d'un cas d'eczéma, Spitz soulève une question intéressante :

> Nous nous sommes demandés si les troubles cutanés étaient une tentative d'adaptation ou, au contraire, une réaction de défense. La réaction de l'enfant sous forme d'eczéma peut être soit une demande adressée à la mère pour l'inciter à le toucher plus souvent, soit un mode d'isolement narcissique, en ce que, par l'eczéma, l'enfant se procure lui-même dans le domaine somatique les stimuli que la mère lui refuse. Nous ne pouvons pas savoir.

La peau peut être un moyen de se détendre ou de se relaxer. Par exemple, très souvent, dans les sociétés occidentales, on voit les hommes se gratter la tête. Normalement, les femmes ne le font pas. En fait, chaque sexe utilise très différemment la peau. Lorsqu'ils sont perplexes, les hommes se frottent le menton de la main, tirent sur le lobe de leur oreille, se frottent le front, les joues ou la nuque. Dans la même situation, les femmes ont des gestes très différents. Elles se mettent le doigt sur la lèvre inférieure ou éventuellement sous le menton, en ouvrant légèrement la bouche. On peut relever d'autres gestes typiquement masculins qui signifient l'interrogation, l'hésitation : se frotter le nez, avoir les doigts pliés sur la bouche, se frotter le cou sur le côté, se frotter la partie infra-orbitale du visage, se frotter les yeux fermés ou se pincer le nez. Ou encore se frotter le dos de la main, le devant des cuisses, ou pincer les lèvres.

Ce sont là des gestes d'autoréconfort destinés à supprimer ou réduire la tension intérieure. De même, lorsqu'on a peur ou qu'on est en colère, le fait de se tordre les mains ou de s'en prendre à quelqu'un en lui attrapant ou en lui étreignant les mains est-il réconfortant. Dans la Grèce antique, c'était une coutume et l'usage s'est maintenu dans la plus grande partie de l'Asie, de porter sur soi une pierre polie d'ambre ou de jade, qu'on appelait quelquefois une « pièce digitale ». Dire son chapelet chez les catholiques semble avoir la même fonction. La vente de « porte-bonheur » s'est beaucoup accrue ces dernières années aux États-Unis. Dans le même ordre d'idées, on peut rappeler, au passage, les observations du docteur Jenny Rudinesco. Pendant la Seconde Guerre mondiale, elle avait pris en charge des orphelins schizoïdes, et elle avait remarqué que beaucoup d'entre eux roulaient des boulettes de papier entre le pouce et l'index. D'après J. C. Moloney, cette manie de rouler des boulettes de papier est un substitut à la mère absente : les boulettes « représentent des " mères " faciles à contrôler pour un enfant émotionnellement perturbé, car il les crée lui-même ».

Les personnes agacées se frottent souvent le pouce et l'index l'un contre l'autre; ou même tous les doigts simultanément contre la paume de la main.

Pour en revenir aux troubles de la peau, le docteur S. Hammerman, du département de psychiatrie de la faculté de médecine de l'université Temple à Philadelphie, m'a raconté le cas d'une jeune fille qui souffrait assez gravement d'acné. Elle a été guérie par un traitement de stimulations tactiles dans un institut de beauté, où son médecin, une personne de bon sens, l'avait envoyée, alors que toutes les autres formes de traitement médical classique avaient échoué.

Les enfants que l'on n'a pas portés, réconfortés, sécurisés avec amour risquent fort d'éprouver une angoisse permanente de tomber lorsqu'ils sont adultes. Lowen souligne que la peur de tomber, que ce soit tomber en hauteur ou tomber endormi, est liée à la peur de tomber amoureux. En fait, on découvre généralement que le patient qui présente l'une de ces anxiétés est très sensible aux autres, le facteur commun de ces trois symptômes étant la peur de perdre le contrôle complet de son corps et de ses sensations. Lorsqu'il est sous l'effet de cette peur, le patient a la sensation de « sombrer », et il peut en être terrifié ou complètement paralysé. Alors que ces sensations sont le délice des petits enfants équilibrés qui les recherchent dans leurs glissades ou dans leurs jeux de balançoires ou autres amusements. Un enfant normal aime à être jeté en l'air et rattrapé dans les bras tendus de son père ou de sa mère.

La distance que les gens maintiennent entre eux est aussi une question intéressante. Au théâtre, par exemple, certains metteurs en scène recommandent à leurs acteurs ne pas se toucher mutuellement en jouant la comédie, mais de ne pas s'en priver lorsqu'ils jouent une tragédie. La différence est de même nature qu'entre l'introversion et l'extraversion. La comédie exige une certaine distance entre les acteurs et du détachement dans le jeu des acteurs, d'où le fait que l'acteur se retienne de toucher. Dans les tragédies, c'est exactement le contraire, l'implication émotionnelle doit être communiquée, aussi le contact direct et le toucher sont-ils recommandés. Pour la même raison, les gestes doivent être verticaux dans la comédie, mais il est préférable qu'ils soient horizontaux dans la tragédie. Car les gestes verticaux sont ou ont tendance à être un peu fous, alors que les gestes horizontaux suggèrent plutôt la sympathie, l'attachement. Par exemple, Helen Hayes dit : « Dans la comédie, je me suis rendu compte que je devais me tenir droite, les bras haut tendus, les gestes en hauteur. Et dans la tragédie, exactement l'inverse. »

Les différences sexuelles dans le comportement cutané sont très nettes dans presque toutes les sociétés. Les femmes sont beaucoup plus aptes que les hommes à s'adonner à toutes sortes de comportements tactiles délicats. Elles semblent aussi plus sensibles aux qualités tactiles des objets, comme par exemple lorsqu'elles tâtent à la main un tissu pour en apprécier la texture et la qualité, ce que les hommes font rarement. Les caresses et les cajoleries sont des activités principalement féminines, de même que les mondanités et toutes les gentillesses qui facilitent les rapports humains à tous les niveaux. Les grandes tapes dans le dos et les poignées de main sont des comportements spécifiquement masculins. Les différences culturelles sont très marquées à tous ces égards. Hall a fait remarquer que les Japonais, par exemple, sont très conscients de l'importance de la texture.

> La matière douce et agréable d'un bol indique non seulement que l'artisan a pris soin de ce bol, mais aussi que la personne qui va l'utiliser prend soin d'elle-même.

Hall ajoute que les finitions et le polissage de leurs objets artisanaux en bois rappellent l'importance que l'ébéniste du Moyen Age attribuait à la sensation du toucher.

> Le toucher, écrit-il, est la sensation personnelle par excellence. Pour la plupart des gens, les moments les plus intimes de la vie sont associés au changement de texture de la peau. La peau se durcit et se change quasiment en cuirasse lorsqu'elle refuse le toucher. Sa texture se modifie et s'anime pendant l'acte d'amour, ou prend une qualité de velours lorsqu'elle est satisfaite. Ce sont là autant de messages d'un corps à l'autre qui ont une signification universelle.

Bowlby a émis l'hypothèse que certaines réactions du bébé servent à tisser un lien entre la mère et l'enfant. Par exemple lorsqu'il tète, s'agrippe à sa mère ou la suit, ou encore lorsqu'il pleure ou sourit. Le bébé a l'initiative des trois premiers gestes. Les deux autres sont plutôt des appels à la mère pour qu'elle lui réponde. D'après les observations de Bowlby, le développement de l'enfant est meilleur si la mère le laisse s'agripper à elle et la suivre, même si elle ne l'allaite pas. Alors que si elle refuse, elle a beau l'allaiter, cela n'empêchera pas des perturbations émotionnelles. Bien plus, Bowlby a l'impression que les enfants sont autant exposés aux troubles psychologiques même graves, pendant la seconde année, lorsqu'ils ont la manie de s'agripper et de suivre leur mère, que pendant les premiers mois où leurs demandes sont beaucoup plus rudimentaires.

Nous pensons donc que l'enfant qui bénéficie de l'acquis d'une relation d'amour primaire satisfaisante parce qu'il a été suffisamment stimulé tactilement n'aura pas besoin de s'agripper, de se coller à la mère et prendra plaisir à se trouver en hauteur, à frissonner, à se balancer. Alors que l'enfant qui n'a pas été comblé dans ses besoins de contacts, surtout pendant la période réflexe de son développement préverbal, réagira à cette expérience traumatisante par un besoin excessif d'être pris dans les bras, d'être bercé, avec l'angoisse permanente de l'instabilité, craignant que son support ne s'effondre.

Deux mondes différents de perception sont en jeu ici. L'un est orienté et dirigé principalement par la vue. L'autre est dirigé principalement par le toucher. Le monde perceptif orienté par le toucher est plus immédiat et plus chaleureux que le monde orienté par la vue. Dans le monde visuel, l'espace est accueillant, mais aussi souvent horriblement vide ou rempli de dangers, d'imprévus et d'objets instables. Georges Braque, le grand peintre français, a fait un jour remarquer que l'espace tactile sépare l'observateur des objets, alors que l'espace visuel sépare les objets les uns des autres.

Il est très fréquent que l'on arrive à atteindre les schizophrènes au moyen de contacts corporels, même ceux qui ont été, pendant des années, inaccessibles à d'autres thérapeutiques. La presse s'est fait l'écho en mai 1955 des succès que Paul Roland, kinésithérapeute, remportait auprès des schizophrènes à l'hôpital psychiatrique de la Veterans Administration à Chillicothe dans l'Ohio. Roland commençait par s'asseoir avec le patient et petit à petit lui touchait le bras. Rapidement, Roland pouvait caresser le patient. Après quoi, le rétablissement progressait rapidement. Gertrude Schwing a raconté comment elle avait pu entrer en contact avec des enfants schizophrènes en les prenant dans ses bras. Waal, quant à lui, a donné une excellente descrip-

159

tion d'une thérapie par massage auprès d'un petit garçon apparemment autistique; au cours du traitement, « le thérapeute fait au patient un massage total doux et maternel, en le stimulant de temps à autre avec des petits pincements rythmiques, des chatouillements doux et des attouchements ». Le plexus solaire, le cou et la colonne vertébrale dans toute sa longueur sont massés, alors que la poitrine, les mains et les paumes sont chatouillées doucement en faisant très attention. Après quoi, le thérapeute en arrive aux yeux et, dans une deuxième étape, il effectue un massage plus violent des épaules, de la poitrine et des mâchoires, puis revient aux yeux. Au cours de cette deuxième étape, la pression des mains du thérapeute n'est plus douce du tout. Le patient réagit en criant, en pleurant ou en tapant du pied. On lui dit alors que ce sont là des réactions d'enfant déçu et qu'elles sont justifiées. Après ces éclats, le patient est apaisé et materné par le thérapeute d'une manière détachée, objective. D'après Waal, l'effet de cette thérapie est une maturation du corps et une brèche dans la retraite autistique, et il semble qu'elle ait un effet plus rapide qu'aucune autre technique tentée jusqu'ici.

Le toucher et l'asthme

J'ai relaté en 1953 le cas de Mme C. que j'avais vue à Londres en 1948. C'était une Anglaise de 31 ans, d'origine sociale aisée, divorcée et sans enfant, qui mesurait 1,62 m et pesait 40 kilos. Mme C. était l'une de deux vraies jumelles. L'une et l'autre, aussi loin qu'elles pouvaient s'en souvenir, avaient souffert de crises d'asthme périodiques, à peu près tous les quinze jours. En 1948, Mme C. venait de passer six ans à entrer et sortir du sanatorium pour son traitement. Son docteur l'avait informée qu'une nouvelle crise pourrait lui être fatale. C'est à la suite de ce diagnostic traumatisant qu'elle a fait appel à moi. En me recevant chez elle, à Londres, Mme C., une jolie jeune femme, semblait plutôt tendue, mais apparemment tout à fait en bonne santé par ailleurs. Elle me salua d'une main froide et molle, et ensuite serra les bras sur sa poitrine. Elle s'assit à un petit secrétaire contre lequel elle se mit peu après à se frotter le dos d'une manière discrète et déguisée. Lorsque je lui demandai si sa mère était morte très tôt, elle répondit que sa mère était morte à sa naissance, et s'étonna de ma question. Je lui expliquai que cette question m'était venue à l'esprit à partir des observations suivantes : 1. la façon dont elle m'avait serré la main mollement; 2. la façon dont elle serrait ses bras autour de la poitrine; et 3. sa manière de se frotter contre le montant du secrétaire. Tout cela m'avait suggéré qu'elle n'avait probablement pas reçu suffisamment de stimulations cutanées lorsqu'elle était bébé; cela est fréquemment lié à un décès précoce de la mère, j'y avais donc pensé comme une possibilité.

J'expliquai la théorie de la relation entre les stimulations tactiles et le développement du système respiratoire, en prenant un soin particulier à souligner qu'il s'agissait simplement d'une théorie et qu'il n'y avait rien là qui fût prouvé, mais qu'il existait un certain nombre de coïncidences qui suggéraient ce rapport; et si elle le désirait, elle pouvait essayer de le vérifier. Il fut proposé qu'elle irait dans une clinique physiothérapique à Londres où, selon des instructions précises, elle serait massée par des gens compétents. Elle accepta immédiatement et, quelques jours plus tard, après son premier massage, elle débordait d'enthousiasme. Je lui dis alors qu'il y avait de fortes chances pour que la poursuite des massages pendant quelque temps empêche l'apparition de nouvelles crises d'asthme, sauf contrariété émotionnelle grave. Elle poursuivit ce traitement pendant plusieurs mois, et de nombreuses années se sont écoulées depuis sans qu'elle ait souffert d'une seule crise d'asthme grave.

La sœur de Mme C. avait eu des crises d'asthme identiques, jusqu'à ce qu'elle se marie avec un écrivain célèbre. A partir de ce moment-là, ses crises diminuèrent et se raréfièrent, sans jamais cesser complètement. Par la suite, elle divorça et, peu après, elle mourut au cours d'une crise d'asthme. Quant à Mme C., ses crises cessèrent dans l'ensemble. Elle se remaria et vit heureuse depuis.

Peut-être, dans ce cas, n'y a-t-il pas ou peu de rapport entre l'arrêt des crises d'asthme et les stimulations cutanées que Mme C. recevait, ou au contraire peut-être le rapport est-il direct. Dans mon premier article, j'écrivais :

> Ce cas doit être cité comme un exemple révélateur. Espérons que ceux qui en auront la possibilité réaliseront les observations nécessaires pour prouver si, oui ou non, la théorie exprimée dans cet article est exacte, c'est-à-dire si on peut soulager en leur procurant des stimulations cutanées les personnes qui souffrent d'asthme ou d'autres troubles probablement liés à un manque de stimulations cutanées dans l'enfance.

Toujours au sujet de l'asthme, on a pu noter que prendre dans ses bras quelqu'un qui a une crise d'asthme est susceptible d'apaiser la crise ou même de l'arrêter.

Sir William Osler a remarqué un jour que « prendre la main d'une dame lui donne confiance en son médecin ». Or, en fait, prendre la main d'une personne qui est dans un état d'angoisse est susceptible d'exercer sur elle un effet apaisant, de réduire l'anxiété et de donner globalement un sentiment de sécurité, à la fois à celui qui tient la main et à celui qui est réconforté.

Comment se fait-il que des stimulations cutanées sous forme de cajoleries, de bercements, de caresses, d'étreintes aient des effets aussi remarquables sur les individus émotionnellement perturbés ?

L'explication est assez simple : la stimulation tactile est une sensation fondamentalement nécessaire pour le développement du comportement harmonieux d'un individu. La carence en stimulations tactiles pendant la petite enfance aboutit à une incapacité grave à établir des relations et un contact avec les autres. Procurer à un individu, même adulte, ce dont il a besoin pour le rassurer, et lui donner la conviction qu'il est désiré, qu'il existe, le réinsère dans un canevas de valeurs avec les autres et le rend ainsi plus solide. Certaines personnes ont des contacts et des relations difficiles avec autrui. Elles sont gauches dans leur relation corporelle avec les autres, lorsqu'elles leur serrent la main, leur prennent le bras ou les embrassent, et pratiquement dans toutes leurs démonstrations tactiles d'affection. Si elles sont ainsi, c'est principalement qu'elles n'ont pas eu de contact corporel avec leur mère. Leur mère ne les a pas maternées comme il faut. Garner et Wenar ont défini le « maternage » comme la satisfaction par la mère des besoins de l'enfant. La mère assure les soins corporels et les stimulations de plaisir de telle manière qu'ils lui procurent du plaisir à elle aussi. Ce n'est pas seulement par sens maternel que la femme dispense ces satisfactions à son enfant, elle éprouve elle-même du plaisir à fournir à l'enfant le contact physique étroit et la protection dont il a besoin pour grandir et se développer. Garner et Wenar ont montré que les troubles psychosomatiques ont tendance à se produire chez les individus à qui l'expérience de cette attitude maternelle a manqué. C'est là une hypothèse qui a été confirmée de nombreuses fois. Le premier élément de cette attitude maternelle est le contact physique étroit, l'intimité, le geste de se blottir l'un contre l'autre, de caresser, d'étreindre, de bercer, d'embrasser et toutes les autres satisfactions tactiles qu'une mère donne à son enfant.

Le contact corporel est un besoin fondamental chez les mammifères qui doit être satisfait pour que l'individu développe des mouvements et des gestes harmonieux. L'enfant établit une relation satisfaisante à son corps à partir de l'expérience qu'il a de la relation au corps de sa mère. Expérimentalement, on a constaté que dans cette relation au corps de la mère, l'enfant avait des gestes et des postures tout à fait anormales. Nous avons vu précédemment comment cela affectait le comportement sexuel du petit garçon socialement frustré, en le rendant rustre dans son comportement sexuel. Mason et ses collaborateurs ont fréquemment constaté, chez ces individus socialement frustrés, que les difficultés de communication sociale sont de règle. Lorsqu'il en ressent le besoin, le bébé apprend à se blottir, se nicher, à étreindre, à embrasser ou autres manifestations de tendresse et d'amour. Il apprend ces comportements, en les éprouvant lui-même auprès de sa mère. Si elle ne lui prodigue pas ce genre de soins le besoin subsiste. Mais la réalisation des comportements associés à ces désirs est de plus en plus cruellement insatisfaite. En fait, dans une large mesure, la liberté avec laquelle l'enfant est capable d'embrasser quelqu'un d'autre,

de prendre plaisir aux étreintes, d'entrer au sens strict du terme
en contact avec les autres, est un critère de développement sain
et équilibré.

L'enfant qui n'est pas épanoui tactilement devient en grandissant un individu un peu rustre, non seulement physiquement
dans ses relations aux autres, mais aussi psychologiquement
et au niveau de son comportement. Ce genre de personne
manquera probablement de « tact », de ce sens que le dictionnaire définit comme « une délicatesse spontanée ». Ce sens de
ce qui convient et de ce qui est opportun dans les « relations
avec les autres pour éviter de les vexer et gagner leur bonne
grâce; c'est aussi l'aptitude et le discernement à négocier avec
les hommes et à sortir des situations délicates et difficiles; c'est
enfin la faculté de trouver la bonne chose à dire ou à faire au
bon moment ».

Il semble qu'il y ait un net rapport entre l'expérience tactile
de l'enfance et un comportement plein de tact dans la vie ultérieure. Il est remarquable que le mot « tact » qui vient du mot
latin « toucher » ait été fréquemment utilisé en Angleterre à
la place du mot « toucher » jusqu'au milieu du XIXe siècle. Le
tact dans son sens moderne a été emprunté au français au début
du XIXe siècle. En fait, ce mot signifie clairement « toucher
l'autre délicatement ». Mais nous n'avons pas complètement
occulté le passage étymologique et psychologique du tact
au toucher puisque nous disons de quelqu'un qui n'a pas de
tact qu'il « manque de doigté ». Mais il est intéressant de remarquer, dans l'usage du mot « tact » au sens moderne, la recon-
naissance implicite mais claire de l'importance de l'expérience
tactile précoce dans le développement de l'intuition délicate
de ce qui convient, et du comportement opportun.

CHAPITRE VII

La culture et le toucher

> Chaque culture a sa manière propre d'éduquer et de sensibiliser ses enfants et ses adolescents à différentes formes de contacts et de stimulations tactiles, de façon à atténuer ou accentuer les traits caractéristiques de leur tempérament, de leur constitution physique et de leur organisme [1].

Il existe un large éventail de différences de classes et de cultures dans les us et coutumes concernant le comportement tactile. Les différences sociales d'expériences sensorielles se traduisent sur le développement de la personnalité, et dans une certaine mesure sur le « tempérament » national. L'étude de cette relation ouvre un champ de recherches très riche. En général, un apprentissage culturel socialise dans un moule commun les expériences quotidiennes de la vie des bébés et des enfants. Néanmoins, des différences idiosyncrasiques au sein d'une même famille subsistent et peuvent s'écarter considérablement des modes de comportement normalisés, ce qui a des conséquences plus ou moins graves pour les individus concernés.

Quelquefois, dans les familles, les contacts tactiles sont nombreux, non seulement entre la mère et l'enfant, mais aussi entre tous les membres de la famille. Dans d'autres groupes, de même culture pourtant, les contacts tactiles sont réduits au minimum, aussi bien entre la mère et l'enfant qu'avec le reste de la famille. Certaines sociétés se caractérisent fondamentalement par un mode de vie du « non-toucher ». Par contre,

1. Lawrence K. Frank, « Tactile Communication », *Genetic Psychology Monographs*, vol. 56, 1957, p. 241.

dans d'autres cultures, le toucher fait tout à fait partie de la vie : on s'y enlace, on s'y cajole, on s'y embrasse tellement que c'en est une source de gêne et d'embarras pour les gens dont ce n'est pas la coutume. Il y a même des civilisations qui jouent sur toutes les variations possibles du toucher. Dans ce chapitre, nous essaierons de retrouver les comportements déterminés par les différences d'attitudes culturelles et individuelles (familiales) envers le toucher, et la manière dont ces différences s'expriment à la fois dans l'individu et dans sa culture.

Extérogestation et sensibilité tactile

L'extérogestation est le prolongement hors de la matrice du processus utérogestatif. Le processus extérogestatif est destiné à poursuivre la relation d'influence réciproque de l'enfant et de sa mère. La continuité de cette relation est nécessaire à leur développement à tous deux, surtout à celui de l'enfant, du fait d'un fonctionnement postnatal de plus en plus complexe dans un milieu atmosphérique où l'enfant perçoit un espace limité et illimité. La perception de l'espace par le nouveau-né est un aspect essentiel de l'expérience acquise par l'organisme humain, aspect dont l'importance est méconnue.

A l'intérieur de la matrice, le fœtus est bien calfeutré et son espace est intimement délimité par les parois de l'utérus qui l'enveloppent et le soutiennent. C'est pour lui une sensation réconfortante et rassurante. Mais, à la naissance, le nouveau-né fait l'expérience d'un environnement plus ou moins sans limites; il doit apprendre à s'adapter aux moindres variations de son nouveau milieu. La disparition subite d'un soutien, d'un support, restera dans la vie d'un individu la sensation la plus effrayante et la plus bouleversante émotionnellement qui puisse lui arriver. La réaction à la perte soudaine d'un soutien est la seule réaction d'ordre instinctif qui subsiste chez l'être humain en dehors du réflexe face à un bruit fort et brusque. Dans l'utérus, le fœtus est enveloppé, soutenu, bercé dans le liquide amniotique. Hors de l'utérus, il a besoin de conserver le soutien de sa mère, d'être pris dans ses bras et bercé, d'être en contact étroit avec son corps, de boire du colostrum et du lait pour remplacer le liquide amniotique. Il a besoin d'être entouré des bras de sa mère, d'être embrassé, d'être en contact avec la chaleur de sa peau car, entre autres choses, le nouveau-né est extrêmement sensible aux changements de température; et la fraîcheur ambiante des pièces est l'un des dangers auxquels il est exposé dans les hôpitaux, surtout dans les salles d'accouchement à air conditionné. La pratique médicale remédie à cela en plaçant le bébé dans un petit berceau chauffé, qui est pour l'enfant un substitut très insatisfaisant à la chaleur de l'étreinte maternelle et au soutien de son corps.

Les frontières du monde pour le fœtus sont les parois de l'utérus. Il est nécessaire de bien comprendre que le nouveau-né est plus à l'aise lorsque les conditions de la matrice sont reproduites aussi fidèlement que possible dans le monde extérieur. C'est-à-dire lorsque le bébé est enveloppé dans les bras de sa mère et qu'il repose sur son sein. Le petit enfant a besoin d'apprendre sur la base solide du toucher ce que signifie l'intimité, la proximité, la distance et l'éloignement. En bref, il doit apprendre la signification et la manière de s'adapter à toutes sortes de relations spatiales compliquées, qui correspondent chacune à une perception tactile, principalement avec le corps de la mère.

Souvent le nouveau-né est retiré à sa mère, et on le met sur le dos ou sur le ventre, sur une surface plane et nue. De telles habitudes ne tiennent pas compte du grand besoin d'un bébé d'être enveloppé, soutenu, bercé et recouvert. On oublie que l'enfant ne doit être que progressivement introduit dans un monde où les espaces sont plus ouverts. A partir de la présence permanente de sa mère, soutien tangible, il pourra petit à petit prendre ses distances et entrer dans le monde extérieur. Cela est très net chez les jeunes mammifères et en particulier chez les jeunes singes qui essaient prudemment de se séparer de leur mère tout en restant tout près, puis augmentent peu à peu la distance, jusqu'à ce qu'ils arrivent à une indépendance physique et, dans une certaine mesure, émotionnelle, plus ou moins complète.

Les traumatismes de la naissance
au niveau de la peau

Nous nous demandons maintenant si, en enlevant le nouveau-né à sa mère, comme on le fait dans les hôpitaux, et en le plaçant à l'air libre dans un berceau ou dans un petit lit, nous ne traumatisons pas gravement le bébé; un traumatisme dont il ne se remettra peut-être jamais complètement. Qui plus est, un traumatisme que l'enfant subit de façon réitérée au cours des premières années de sa vie, dans notre monde occidental civilisé et dans les sociétés qui ont adopté les pratiques occidentales de naissance des enfants. Il est possible que la peur des grands espaces (agoraphobie), ou des chutes brusques (acrophobie), ait quelque rapport avec ces sensations précoces. De même, si certaines personnes préfèrent enrouler les draps autour de leur corps, plutôt que de les border au pied et sur les côtés du lit, cela reflète leur désir de recréer les conditions de l'utérus en réaction à la sensation de vide autour du corps qu'on éprouve à la naissance. Il y a ceux qui aiment dormir les portes fermées; et ceux qui ne peuvent pas garder fermée la porte de leur chambre. Évidemment, ceux qui aiment avoir leurs draps douillettement serrés autour d'eux sont aussi ceux qui ferment la porte de leur chambre; alors que le genre « lit-bordé-au-carré » dormira toutes portes ouvertes. Je ne sais pas exactement quel est le degré de corrélation de ces variables. Il y aurait là matière à quelques études intéressantes où l'on tiendrait compte d'un bon nombre d'autres variables, telles que l'allaitement au sein, l'affection maternelle, les frustrations de toutes sortes, l'accouchement en hôpital ou à la maison, etc.

C'est au cours de la période extérogestative que l'enfant prend contact avec sa société et commence son apprentissage culturel. Car chaque société a sa manière propre de s'occuper des enfants dès leur naissance. Sur la base d'expériences sensorielles répétées, par des stimulations prescrites par la coutume, l'enfant apprend à se conduire conformément aux exigences sociales. Mais à l'intérieur d'une même famille, et surtout au sein de la relation avec la mère, telle qu'elle est dessinée dans ses grands axes par chaque culture particulière, il subsiste des différences individuelles dans le choix et la façon de vivre ces expériences tactiles. C'est en cela que les individus et les peuples présentent des différences de comportement souvent fondamentales.

Pourquoi les sensations tactiles du bébé pendant la période extérogestative exercent-elles une influence si profonde sur son développement? Cela devrait être évident. L'explication en est fort simple : c'est au cours de cette période qu'il assimile, grâce à ses sensations au niveau de la peau, les notions fondamentales de son apprentissage. La période extérogestative est un moment du développement de l'enfant où la qualité de la communication reçue par la peau est déterminante. Déterminante, car de la qualité de la communication tactile, établie au cours de cette période, dépendent les réponses émotionnelles et psychomotrices que l'enfant apprend. Ces premières réponses émotionnelles constituent la partie fixe et indélébile de la personnalité de l'enfant sur laquelle il établira par la suite beaucoup de réponses secondaires apprises. Or, l'apprentissage tactile pendant la période extérogestative n'est pas vraiment reconnu comme une période critique du développement de tout organisme vivant en général et de l'espèce humaine en particulier. Nous devons donc être attentifs à donner aux enfants plus de caresses et de soins tactiles qu'ils n'en ont reçu jusqu'à présent.

Culture et tactilité

Il y a toute une gamme de variations possibles dans les sensations tactiles, selon leur qualité, leur fréquence, leur durée, et selon qu'elles sont reçues par un nouveau-né, un bébé, un adolescent ou un adulte, et enfin selon les différentes cultures. Nous avons déjà abordé la question de ces différences dans plusieurs sociétés, au chapitre IV. Ici, nous nous occuperons des différences culturelles dans les expériences tactiles précoces et de leur incidence sur la personnalité et le comportement. Nous commencerons par l'observation des sociétés de tradition orale pour procéder ensuite à l'examen des sociétés technologiquement plus avancées.

Les Esquimaux netsilik

Les Esquimaux netsilik habitent dans la péninsule de Boothia dans l'Arctique canadien des territoires du Nord-Ouest. Richard James de Boer les a étudiés avec une grande précision. Il a passé tout l'hiver 1966-1967 parmi eux, dans un igloo. Le centre d'intérêt de De Boer était la relation mère-enfant dans les soins maternels. La mère netsilik, même lorsqu'elle vit dans les pires conditions, est une personne sereine qui dispense chaleur, amour et soins à ses enfants. Jamais, elle ne gronde son bébé ni ne l'empêche de faire quoi que ce soit, sauf pour satisfaire ses besoins. De Boer écrit :

A l'accouchement, et au début de l'extérogestation, le bébé netsilik est placé sur le dos de sa mère dans l'*attigi* (le parka en fourrure). Le devant de son corps est maintenu fermement contre le dos maternel juste sous les omoplates. Le bébé se tient en position assise, ses petites jambes autour de la taille de sa mère ou juste au-dessus, la tête ballottant de droite et de gauche. Normalement, les réflexes du cou équilibrent la position à califourchon, lorsque le tonus des muscles extenseurs de l'une ou l'autre jambe faiblit. Quand le bébé est installé dans une bonne position, la mère noue une écharpe autour de l'attigi, à l'extérieur, au travers de la poitrine, au-dessus des seins et au-dessous des aisselles. Croisée dans le dos, l'écharpe forme une courroie qui soutient le bébé sous les fesses et l'empêche de glisser et de tomber. Le bébé porte des petites couches en peau de caribou, mais autrement il se pelotonne nu contre la peau de sa mère. Par le ventre, le corps de l'enfant est presque tout entier en contact tactile et cutané avec la mère. Son dos est complètement enveloppé de fourrure, le protégeant du froid mordant de l'Arctique. Vue de l'extérieur, la mère netsilik qui porte un enfant de cette manière traditionnelle a tout l'air d'une bossue. Mais l'étrangeté de sa silhouette est plus apparente que réelle, car le poids du bébé est réparti tout près du centre de gravité du corps de la mère. Le bébé netsilik est porté de cette façon jusqu'à ce qu'il sache marcher, et ensuite par intermittence, le temps qu'il acquière ce que les Esquimaux appellent l' « ihuma », le sens cognitif.

La mère netsilik et son enfant « se parlent » par la peau. Lorsqu'il a faim, le bébé netsilik gratte le dos de sa mère et tète sa peau pour la prévenir de ses besoins. Alors, elle le passe par-devant, sur la poitrine, et lui donne le sein. Le besoin de bouger de l'enfant est satisfait par l'activité de la mère. Il suit tous ses mouvements lorsqu'elle est debout, qu'elle marche ou fait d'autres gestes en vaquant à ses occupations quotidiennes. L'enfant apprécie beaucoup le sommeil qu'il prend en contact direct avec la peau maternelle et bercé par ses mouvements. L'élimination urinaire et intestinale se fait sans quitter le dos de la mère. Si la mère l'enlève de son dos, c'est pour nettoyer ses excréments et lui éviter tout inconfort prolongé. La mère va au-devant des besoins de l'enfant, et toutes ses réactions à son égard sont destinées à combler quelque besoin organique ou éducatif. De ce fait, le bébé netsilik pleure rarement. C'est tactilement que la mère devine les besoins de l'enfant.

Les soins de la mère netsilik à son enfant correspondent merveilleusement aux exigences et à la progression des besoins phylogénétiques. Les réponses du bébé expriment d'ailleurs toujours son contentement. De Boer suggère que cette constante du plaisir dans l'enfance donne la clé de la sérénité des Esquimaux netsilik face à l'adversité.

Lorsqu'il atteint 3 ans, l'enfant netsilik a acquis « les deux traits de caractère nécessaires à son fonctionnement d'être humain autonome », à savoir les attitudes altruistes et agréables dans ses relations avec les autres, et la maîtrise de la communication par le toucher. Parce que les relations de domination sont absentes des relations parentales et surtout du rapport mère-enfant, l'individu netsilik et sa société réalisent un équilibre harmonieux. L'individu satisfait, dans ce cadre de relations mutuellement altruistes, ses besoins de contact avec les autres.

Il n'est, bien sûr, pas possible d'attribuer avec certitude le comportement altruiste de l'individu netsilik à ses sensations enfantines, et particulièrement à celles qu'il retire de sa relation au corps de la mère. Cet acquis est renforcé ultérieurement par tout un chacun autour de lui dans son petit univers. Cependant, ce que l'on a observé porte à croire que ces expériences précoces sont les plus déterminantes.

Les mouvements de sa mère vaquant à ses occupations quotidiennes donnent à l'enfant esquimau un aperçu du monde sous presque tous les angles de vision possibles. Son sens de l'espace, qu'il affinera ensuite par d'autres expériences, lui vient de là. Les aptitudes spatiales remarquables des Esquimaux ainsi que leur compétence en mécanique sont étroitement liées à ces premières perceptions sur le dos de la mère. Edmund Carpenter, dans un récit passionnant, a évoqué les étonnantes aptitudes spatiales et mécaniques des Esquimaux aivilik de Southampton Island à l'extrémité nord-ouest de la baie d'Hudson.

> Les hommes aivilik sont des mécaniciens exceptionnels. Ils adorent démonter et remonter un moteur, une montre ou toute autre machine. Je les ai vus réparer des instruments que les mécaniciens américains, amenés exprès en avion jusqu'à l'Arctique, avaient abandonnés, découragés. En travaillant avec les outils les plus simples, souvent bricolés à la main, ils arrivent à fabriquer des pièces de rechange en métal ou en ivoire. Towtoongie, un ami esquimau, m'avait façonné une charnière. Il a fallu que je l'examine soigneusement pour voir comment cela marchait...

Carpenter estime que l'explication de cette habileté prodigieuse réside dans la conscience très aiguë que les Aivilik ont de leur localisation dans le temps et dans l'espace. Les Aivilik ne séparent pas les concepts de temps et d'espace, mais perçoivent une situation comme un processus dynamique. De surcroît, ils ont un sens très accusé de l'observation des détails.

Ils ne sont pas prisonniers de l'espace. Par exemple, si on leur donne un magazine illustré, ils ne le tourneront pas dans le bon sens — et, en fait, l'homme blanc les amuse beaucoup à le faire systématiquement — mais ils regarderont les photos, qu'elles soient la tête en bas ou horizontales, et ils les verront comme si elles étaient droites!

Des recherches devraient bien sûr s'attacher à démontrer si ces aptitudes sont liées ou non aux perceptions visuelles et spatiales et aux sensations tactiles que les enfants ont eues sur le dos de leur mère. Cela ne semblerait pas étonnant. Le sujet reste disponible à toute recherche à venir qui s'appliquerait à étudier spécifiquement cette relation. Le champ de vision du bébé, dans toutes les positions au gré des mouvements de sa mère, éveille un sens de l'espace très particulier. Comme le dit Carpenter :

> L'espace évolue dans un mouvement continu. La perception visuelle devient une image dynamique. Par exemple, les artistes aivilik ne se contentent pas de reproduire ce qu'on peut voir concrètement, à un moment donné et sous un angle de vue unique, mais ils admettent et projettent tous les aspects visuels possibles, jusqu'à ce qu'ils aient complètement décrit l'objet qu'ils veulent représenter.

Ces tours et ces détours autour d'un objet reflètent quelque chose du balancement et du ballottement que le bébé ressent lorsqu'il est porté sur le dos de sa mère.

> Dans toute la mythologie esquimaude, écrit Carpenter, les hommes et les esprits grandissent et rapetissent, alternativement, au cours de leurs relations mutuelles. Rien n'a de forme ni de taille statique, invariable. Les hommes, les esprits, les animaux ont des dimensions mouvantes, en perpétuelle évolution.

A nouveau, on a là une conception du monde qui rappelle directement les sensations visuelles du bébé du haut de son observatoire sur le dos de la mère. Dès le premier âge, il peut regarder à leur hauteur aussi bien les adultes que les enfants, les animaux et les autres choses qui, du haut de son perchoir, dans le parka maternel, lui apparaissent toutes petites et difficiles à voir, mais qui brusquement changent de taille lorsque la mère se penche, s'agenouille ou s'allonge.

L'enfant acquiert donc, très tôt, la maîtrise des dimensions spatiales de son monde, et il dépend presque entièrement de son sens du toucher. Il apprend par là à trouver son chemin dans l'environnement de sa mère et dans le monde qu'elle lui ouvre par la plus primitive des approches sensorielles, par thigmotropie (du grec *thigo*, « toucher », et *trope* « tour, manière »), ce qui signifie par réaction au contact, au toucher. Le premier espace de l'enfant est tactile. Initialement, le bébé est passivement sensibilisé, il reçoit des sensations tactiles qui se transforment progressivement en perceptions, c'est-à-dire en sensations porteuses de signification. A partir de ces premiers repères, l'enfant commence à explorer activement le monde. C'est James Gibson qui a établi cette distinction entre toucher actif et toucher passif, dans une expérience destinée à mesurer la précision des informations transmises par chaque mode de toucher. Le toucher actif permet aux sujets de reproduire des formes abstraites visualisées par l'œil avec une précision de 95 %, alors que l'exactitude n'est que de 49 % dans le cas d'un toucher passif.

Le toucher actif est stéréognostique, c'est-à-dire qu'il permet de comprendre la forme et la nature des objets. Cette faculté se développe progressivement au cours de la relation avec le corps de la mère, par des gestes comme agripper le sein ou laisser les mains paisiblement posées sur la poitrine, ou par cette sensation qu'a l'enfant de ses propres lèvres, de son nez, de ses yeux, de ses parties génitales, de ses mains, de ses pieds et du reste de son corps, au contact du corps maternel. Chacune de ces sensations a ses caractéristiques propres, et l'enfant arrive petit à petit à les reconnaître par toucher actif. Dans le parka maternel, le petit Esquimau établit une communication physique avec le corps de sa mère, mais il reçoit aussi d'elle un très grand nombre de messages auditifs qu'il associe avec ces sensations. Ainsi, la voix finira par acquérir une qualité tactile lénifiante, un effet de bercement régulier. On en perçoit très clairement les accents dans de nombreuses poésies esquimaudes. Ce peuple aimable manifeste de l'amitié pour des gens qu'il n'a jamais vus auparavant — pas des étrangers, mais des visiteurs ou des hôtes — en les touchant et en les caressant. Stefansson raconte comment les Esquimaux copper l'ont accueilli, lui-même et son équipe, en 1913.

> Notre accueil fut aussi chaleureux et amical que possible, et fort bruyant. Les petits enfants sautaient autour de nous jusqu'à nous toucher les épaules, et les adultes, hommes et femmes, nous serraient les mains et nous caressaient très chaleureusement.

Dans leur igloo, où la température avoisine 38 °C, et à peine moins la nuit, les Esquimaux dorment généralement nus, en contact physique étroit les uns avec les autres. Un homme prêtera facilement sa femme pour la nuit, au visiteur masculin, en signe de courtoisie. Le mélange des odeurs corporelles et d'autres odeurs comme celle de la graisse de baleine qui brûle — que les Blancs trouvent quelquefois insupportable — est loin de déplaire aux Esquimaux dont l'odorat très fin a été remarqué par plus d'un observateur. Ce trait n'est peut-être pas étranger, lui non plus, aux sensations du bébé dans le parka de sa mère.

Chez l'enfant esquimau, le sens qui s'éveille en second, après la tactilité et lié à elle, n'est pas la vue, mais l'ouïe. La mère fredonne et chante, en caressant le bébé et en le serrant dans ses bras ou contre son corps; avec le temps, il apprend à identifier sa voix et à répondre à cette voix comme un substitut du toucher.

Les Esquimaux ne sont pas enclins à se laver tellement, dans la mesure où l'eau est rare, et où la glace ne fond qu'au prix d'une grande dépense d'huile animale, denrée rare entre toutes. On utilise quelquefois l'urine comme substitut. Chez les Ingalik, qui vivent loin dans le Nord, dans l'Athapaska du Nord, et qui parlent indifféremment ingalik ou esquimau, le bébé reçoit un premier bain à la naissance, et ensuite, tous les matins, sa mère lui lèche le visage et les mains, pour les nettoyer, jusqu'à ce que l'enfant soit assez grand pour se tenir sur son séant. Je n'ai pas trouvé mention de cette pratique chez les Esquimaux proprement dits, mais il est possible qu'elle existe.

Il est presque certain que la perception visuelle intervient après le développement de la perception auditive, chez les Esquimaux. Carpenter le confirme en observant que les Esquimaux aivilik « définissent leur espace plus par le son que par la vue. Là où nous disons " voyons ce qu'on peut entendre ", ils diront " écoutons ce qu'on peut voir " ».

Vraisemblablement, cette perception auditive de la réalité est due au conditionnement de l'enfant aivilik, sensibilisé beaucoup plus tôt, plus longtemps et de façon plus continue aux sensations auditives qu'aux sensations visuelles. Ce conditionnement est entretenu, bien sûr, par la transmission des traditions orales.

Toucher et bruit

On a quelquefois remarqué, peut-être plutôt comme une métaphore, que le son avait une qualité tactile. En fait, il existe une relation entre le toucher et le son beaucoup plus profonde que nous n'en avons en général conscience. La sensibilité de la peau est telle qu'elle réagit aux ondes sonores autant qu'aux pressions physiques. Mirkin, de l'Institut de physiologie Pavlov à Leningrad, a montré que les récepteurs sensoriels de pression, les points de toucher, ont des facultés de résonance bien précises. Il en existe aux environs des muscles, aux articulations, sur les ligaments, les tendons et dans les corpuscules de Pacini. Mirkin a soumis des corpuscules de Pacini, prélevés dans le tissu mésentérique, près des intestins, à des stimulations acoustiques dans un champ acoustique uniforme. Il a trouvé que ces corpuscules avaient des facultés de résonance et qu'on pouvait obtenir une corrélation entre une fréquence optimale de stimulation et des périodes d'activité bio-électrique. Il renforçait ainsi l'hypothèse d'une résonance biomécanique dans les corpuscules de Pacini.

Madsen et Mears, en observant des sujets sourds, ont découvert que les vibrations sonores ont un effet très net sur les seuils de tactilité. Un son de 50 hertz, en haute ou basse fréquence, désensibilise la peau et élève le seuil de tactilité; alors qu'un son de 5 000 hertz, en haute ou basse fréquence, sensibilise la peau.

Gescheider, quant à lui, a montré que la peau était capable de localiser l'origine des ondes sonores de différentes intensités avec une exactitude remarquable.

Ce qui laisse présager toutes sortes de possibilités.

Structure du développement sensoriel

Les sens de l'homo sapiens se développent selon un ordre défini, à savoir : 1. le toucher; 2. l'ouïe; 3. la vue. Lorsque l'enfant approche de l'adolescence, l'ordre d'importance s'inverse. Les perceptions auditives et tactiles dans les premières années de la vie sont beaucoup plus importantes que les impressions visuelles. Ce n'est que lorsque l'enfant a acquis par ses sens tactile et auditif la conscience d'être humain, que la vue devient de loin le sens le plus important. Mais l'enfant ne comprend ce qu'il voit que sur la base de ce qu'il a déjà senti et entendu.

La qualité tactile de la vision est évidente dans le geste de « toucher » avec les yeux. C'est pourquoi on évite de regarder ou de dévisager les étrangers sauf dans des situations où les conventions l'admettent. Il n'est pas sans intérêt de rappeler ici, qu'en milieu naturel, les gorilles évitent de croiser le regard avec un étranger, et surtout qu'ils considèrent un regard direct avec suspicion, jusqu'à ce que des relations amicales se soient établies.

Ernest Schachtel a souligné que les sens dits « de distance » (la vue et l'ouïe) n'atteignent leur plein développement — phylo et ontogénétiquement — que bien après les sens « de contact » (le toucher, le goût et l'odorat). Il a dénoncé très justement le fait que les sens « de contact » soient négligés et même, dans une large mesure, considérés comme tabous par la civilisation occidentale. Il ajoute : « Le plaisir comme le

177

dégoût sont plus étroitement liés aux sens " de contact ", qu'à ceux " de distance ". » Le plaisir qu'un parfum, un goût ou une matière peut procurer est une sensation physique, corporelle, bien plus proche du plaisir sexuel que la volupté sublime procurée par la musique ou par la beauté, qui est le moins charnel de tous les plaisirs.

Dans la vie quotidienne des animaux, les « sens de contact » (le toucher, le goût, l'odorat) jouent un rôle important. Pour l'homme, même s'ils ne sont pas réprimés dans les relations sexuelles, ils sont frappés d'interdits d'une autre manière dans les relations interpersonnelles : « une société ou un groupe n'a que trop tendance à isoler les gens, à établir des distances entre eux, à prévenir les relations spontanées et à empêcher toute manifestation naturelle, quasi animale de ces relations ».

Marcuse considère que la civilisation exige la répression des plaisirs et leur détournement vers un autre objet que les sens du contact, car « l'utilisation sociale de l'organisme comme instrument de travail » requiert sa désexualisation.

Peut-être serait-il plus exact de dire que les tabous sur la tactilité viennent de la peur du plaisir charnel, étroitement associée à la tradition chrétienne dans toutes ses variantes. L'une des grandes réalisations négatives du christianisme a été de transformer en péché les plaisirs de la tactilité.

Les Ougandais de l'Est africain

Le docteur Mary Ainsworth a effectué une étude détaillée des soins donnés aux nourrissons chez les Ougandais de l'Est africain. Son champ d'investigation portait sur un seul village à quelque 20 km de Kampala. Les contacts avec les Blancs ont depuis longtemps influencé les pratiques des Ougandais. Néanmoins, la plupart des mères portent encore leur bébé sur le dos et leur donnent volontiers le sein pendant un an ou plus. Le bébé ougandais passe la plus grande partie de ses heures de veille dans les bras de quelqu'un. Lorsque la mère prend son bébé dans les bras, elle le tapote gentiment ou le caresse. Dans l'ensemble, l'enfant reçoit un très grand nombre d'attentions de ce genre. A partir de ses observations comparatives, le docteur Mary Ainsworth conclut :

> Il est bon pour un bébé d'être souvent porté dans les bras, d'être pris dès qu'il pleure, de lui donner ce qu'il veut quand il le veut et qu'il ait la place et la liberté d'aller et venir. C'est en tout cas meilleur que de le maintenir dans son berceau pendant de longs moments, dans un endroit où il est isolé des autres, d'où on ne peut pas toujours percevoir ses appels et où, donc, il ne peut se faire une idée des conséquences prévisibles de ses actes ni les contrôler.

Le développement sensorimoteur des bébés ougandais est en général plus rapide. Ils s'assoient, se tiennent debout, rampent à quatre pattes et marchent beaucoup plus tôt que la moyenne des bébés des sociétés occidentales. Ainsworth l'attribue à la façon dont les Ougandais s'occupent des nourrissons :

> Beaucoup de contacts physiques, un lien très étroit entre la mère et l'enfant, des stimulations sociales très fortes, une satisfaction rapide des besoins de confort, l'absence d'entraves et la liberté d'explorer le monde.

Malheureusement, l'étude de Mary Ainsworth ne s'occupe que des 15 premiers mois du développement de l'enfant ougandais, et ne nous dit rien des caractéristiques de leur personnalité adulte. La littérature anthropologique sur les Ougandais n'est d'aucune aide à cet égard, et les autres informations disponibles sur ce sujet sont en grande partie anecdotiques. Audrey Richards a souligné l'unanimité remarquable des récits des premiers voyageurs européens en Ouganda, pour louer leurs bonnes manières, leur politesse, leur charme, leur propreté, leur honnêteté, leur sens de l'ordre, leur dignité et leur intelligence. Mais on avait aussi observé qu'ils étaient susceptibles et procéduriers, qu'ils avaient l'esprit de rivalité, qu'ils étaient taciturnes et capables d'un comportement cruel et finalement difficiles à bien connaître. De prime abord, il y a là beaucoup de contradictions. Mais il peut ne pas y en avoir en fait. Il est tout à fait possible d'attribuer les qualités sympathiques de l'Ougandais adulte aux soins maternels qu'il a reçus dans les premières années de sa vie et ses qualités moins aimables à un conditionnement ultérieur. Personne ne semble avoir été tenté par l'étude de l'étiologie de ce développement contradictoire.

Les Dusun du nord de Bornéo

La seule étude anthropologique sur la tactilité dans une culture de tradition orale est, à ma connaissance, un travail de T. R. Williams. Il a étudié les Dusun des hauts plateaux du nord de Bornéo, un peuple de chasseurs et d'agriculteurs dont la principale ressource est le riz. Williams insiste sur la nécessité d'étudier dans différentes sociétés les moyens par lesquels on oblige ou on encourage les individus à abandonner certaines pratiques ou sensations tactiles particulières, et à développer des substituts symboliques compensatoires différents selon le moment de leur vie.

Le passage de la sensation tactile à une représentation conceptuelle semble capital, écrit-il, pour comprendre la façon dont les individus assimilent l'acquis culturel de leur société au cours de leur apprentissage social et de la transmission des traditions. S'intéresser à l'expérience tactile des Dusun, et en reconnaître les manifestations dans leur vie, est une tâche difficile. Cependant, on peut observer quelques comportements tactiles manifestes et de nombreux substituts au toucher proprement dit. Ces substituts se traduisent dans le langage, dans des gestes ou dans des positions du corps utilisés couramment dans la vie sociale. Par exemple, des mots différents désignent les « attouchements vitaux » et les « attouchements non vitaux ». De même, les Dusun font clairement la différence entre être touché au vif, être touché-ému et être attendri; et aussi entre « se toucher », « se chatouiller » ou « se peloter » l'un l'autre. Les usages linguistiques désignant spécifiquement les contacts tactiles, y compris les termes exprimant la tolérance sociale à leur égard, rempliraient un dictionnaire spécialisé. Les Dusun utilisent d'autres substituts aux sensations tactiles. Ils ont recours couramment dans leur vie à des gestes codifiés par la coutume et qui suggèrent des formes particulières du toucher. On a recensé environ 40 gestes exprimant l'émotion. 12 au moins ont une signification ouvertement érotique et désignent des actes sexuels [1]. Quant aux positions du corps symbolisant des sensations tactiles, elles mettent en jeu un ensemble complexe de gestes comprenant des inclinaisons de la tête, des expressions faciales, des mouvements de mains, des bras et du buste. Les femmes dusun disposent, dans leur répertoire de coquetterie, de toute une gamme de positions du corps compliquées, suggérant des sensations tactiles. Elles utilisent aussi ces attitudes corporelles pour approuver ou refuser les invitations à des sensations plus directes de toucher que constitue l'étalage d'artifices sur le corps, les toilettes ou la parure.

Dans la société dusun, saluer quelqu'un n'implique aucun contact tactile. Mais de nombreuses situations sociales permettent des contacts tactiles dans des limites strictes. Il est tout à fait intéressant de noter que le petit Dusun est isolé de tout contact tactile, autres que ceux qu'il a avec sa mère, pendant 8 à 10 jours après sa naissance. Parmi les phrases prononcées au cours des différents rites auquel l'enfant est soumis pendant sa première année d'existence, il en est une qui dit : « Aucun étranger ne pourra te toucher et appeler sur toi le malheur. »

Les conventions culturelles définissent la façon dont les membres du groupe social apprennent à utiliser leur sens du toucher. C'est ce qui ressort explicitement de l'excellente étude de Williams.

L'expérience tactile de l'enfant aux États-Unis

Quittons les cultures de tradition orale, comme les Dusun, les Ougandais ou les Esquimaux, pour passer à la civilisation

---

1. Par exemple, le pouce introduit entre le premier et le second doigt de la même main est un symbole de l'acte sexuel, alors qu'agiter les mains le long des oreilles, les doigts levés et les paumes en avant représentent la peur et la dérision.

TABLEAU III

CONTACTS TACTILES ET JEUX PAR AGE ET PAR CLASSE SOCIALE

(Nombre d'enfants : 45; temps d'observation : 1 heure)

Classe d'âge	Classe ouvrière	Classe moyenne	Classe supérieure	Moyenne du groupe d'âge
NOMBRE MOYEN DE CONTACTS				
A	4,5	4,2	4,0	4,2
B	3,1	5,5	15,3	6,3
C	2,6	3,3	6,0	3,7
D	-	5,3	4,8	5,0
Moyenne gle	3,1	4,4	7,0	4,9
TEMPS MOYEN DE CONTACTS				
A	0,0	8,0	9,7	7,5
B	3,0	8,0	22,3	8,2
C	1,4	1,3	3,4	1,8
D	-	8,3	2,8	4,9
Moyenne gle	2,2	5,8	8,2	5,6
TEMPS MOYEN PASSÉ A PROXIMITÉ DE LA MÈRE				
A	4,0	3,0	31,0	27,2
B	30,5	13,5	19,0	22,9
C	22,4	22,0	28,7	23,8
D	-	15,0	25,2	21,1
Moyenne gle	27,4	16,2	25,8	23,3
TEMPS MOYEN PASSÉ A L'ÉCART DE LA MÈRE				
A	13,0	20,0	20,0	17,7
B	19,6	30,0	15,7	20,5
C	23,0	24,0	20,0	22,6
D	-	31,3	29,2	30,0
Moyenne gle	20,5	27,4	23,2	23,7

A : entre 2 et 14 mois; B : entre 14 mois et 2 ans; C : entre 2 et 3ans; D : entre 3 et 4 ans.

D'après Vidal S. Clay.

très sophistiquée des États-Unis, et nous trouverons que les différences d'expériences tactiles des bébés et des jeunes enfants d'une culture à l'autre sont très révélatrices. On dispose pour les États-Unis d'une excellente étude sur l'expérience tactile des enfants de la naissance à l'âge de 4 ans et demi, dans des familles de la classe ouvrière, des classes moyennes et de la classe supérieure. Il s'agit d'une thèse de doctorat inédite de Vidal Starr Clay, intitulée *la Culture et ses effets sur la communication tactile entre la mère et l'enfant* [1]. L'étude porte sur 45 couples mère-enfant, soit 45 enfants, dont 20 garçons et 25 filles. Les observations ont été réalisées sur des plages publiques ou privées et dans des piscines. Les chiffres du tableau III représentent le nombre moyen de contacts tactiles par âge et par classe sociale, pendant une observation d'une heure des enfants des groupes d'âge, A, B, C et D. On voit d'après ce tableau que dans la relation affective mère-enfant, le contact tactile est un facteur décroissant au fur et à mesure que l'enfant grandit. Cependant si l'on compare la fréquence et la durée des contacts tactiles par classe d'âge et par classe sociale, on s'aperçoit d'une anomalie étonnante : on s'attendrait à trouver le coefficient de tactilité le plus fort dans le groupe le plus jeune, celui des bébés. Or,...

... dans toutes les classes sociales, écrit Clay, les contacts tactiles enregistrés étaient moins nombreux vis-à-vis des enfants les plus jeunes, c'est-à-dire les nouveau-nés et ceux qui ne marchaient pas encore, que vis-à-vis des enfants plus grands, ceux qui marchaient déjà. Dans la classe ouvrière et dans la classe supérieure, ces contacts étaient aussi plus brefs envers les bébés qu'envers les enfants de la classe d'âge immédiatement supérieure. En termes de durée, seule la classe moyenne montrait le schéma que nous nous attendions à trouver : les chiffres les plus forts étant enregistrés pour le groupe le plus jeune. Les mères de la classe moyenne consacrent infiniment plus de temps à leur enfant que les mères des autres classes sociales : presque 40 minutes pour chaque enfant par heure d'observation. Ce chiffre faussait la durée moyenne et faisait croire que les enfants les plus jeunes de l'échantillon étudié bénéficiaient

1. Teachers College, université de Columbia, 1966.

du temps de contact le plus long. On doit donc modifier la conclusion sur les contacts tactiles en fonction de l'âge. Il nous faut préciser que, si dans l'ensemble les contacts tactiles diminuent avec l'âge, il n'en reste pas moins vrai, dans notre société, selon les observations de notre étude, que ce sont les enfants en âge de marcher qui reçoivent les contacts tactiles les plus nombreux et les plus longs, et non pas les nourrissons et les petits bébés. Le moment où les enfants savent tout juste marcher est un sommet dans la courbe des contacts tactiles. A partir de l'âge de 2 ans, ces contacts vont diminuer régulièrement au fur et à mesure que l'enfant grandit.

On croit généralement que les nouveau-nés et les petits bébés reçoivent le plus de stimulations tactiles. La vérité semble être tout autre : avec la généralisation des accouchements à l'hôpital, de l'allaitement au biberon, des vêtements qui forment écran entre le bébé et sa nourrice, les enfants du groupe A, c'est-à-dire ceux qui ne sont pas encore en âge de marcher, reçoivent finalement moins de stimulations tactiles que les enfants du groupe B qui commencent à marcher. (Le groupe C comprend 12 enfants entre 2 et 3 ans, et le D 10 enfants de 3 et 4 ans.) Au regard des besoins réels du bébé qui vient de naître, c'est là une découverte fondamentale et très surprenante.

En Amérique, la mère néglige les contacts corporels étroits au cours de la phase d'attachement. Dans la culture américaine, la séparation des corps de la mère et de l'enfant à la naissance est une rupture à peu près radicale de la relation de symbiose physique entre la mère et l'enfant. Au lieu d'une relation où la mère manifesterait plus que l'enfant son besoin de contact physique, on a une relation où la mère ne manifeste son attachement maternel qu'en réponse à la demande manifeste de l'enfant, lorsqu'il pleure ou qu'il gigote. Cette particularité dans le schéma du comportement maternel américain, au cours des 4 premiers mois de la vie du bébé, est bien sûr due au fait que l'intimité des contacts tactiles entre la mère et l'enfant n'est pas la norme dans cette société. Le fait que les mères américaines n'aient pas fait, elles-mêmes, l'expérience d'un contact physique étroit avec leur propre mère renforce sans aucun doute cette prédisposition. Le manque d'intimité physique, entre la mère et le jeune enfant, même lorsqu'elle le stimule et tour à tour le prend dans ses bras ou répond aux appels qu'il lui envoie, contribue aussi à ce schéma culturel de la séparation.

En Amérique, l'enfant et sa mère sont tous les deux vêtus, même pendant l'allaitement au sein. De ce fait, le plus souvent l'enfant ne connaît de la peau de sa mère que la poitrine et peut-être quelques caresses à nu, occasionnellement. Dans la position de l'allaitement au biberon, qui est de règle aux États-Unis, les stimulations tactiles actives et passives que reçoit l'enfant sont réduites au minimum. C'est autant la mère que l'enfant qui sont ainsi privés de stimulation tactile, et cette privation explique l'institutionnalisation dans la culture américaine d'une affection qui ne s'exprime pas par un contact physique étroit, surtout entre la mère et l'enfant. Les contacts tactiles entre la mère américaine et son enfant expriment plus souvent le souci de prendre soin de lui et de l'éduquer, que simplement l'amour et l'affection. Cela apparaît clairement dans le fait que les mères de ce pays touchent plus souvent les enfants lorsqu'ils marchent que lorsqu'ils sont plus jeunes.

Confirmant les observations d'autres chercheurs, Clay a trouvé que parmi les bébés, les filles recevaient plus de démonstrations d'affection que les garçons et étaient sevrées plus tard. Les mères semblaient plus heureuses d'avoir des filles que des garçons. Moss, Robson et Pedersen ont réalisé, à Washington, une étude détaillée sur les stimulations maternelles que les bébés reçoivent à 1 mois. Ils se sont aperçus que les mères parlaient plus à leur petit garçon, les berçaient dans leur landau et les embrassaient plus qu'elles ne le font pour une petite fille du même âge. D'après ces chercheurs, la différence reflète probablement une intention à la fois affective et sociale d'adoucir et de modérer le comportement du bébé, plutôt que de le stimuler et de l'exciter. En s'adressant à leur petite fille, les mères font nettement plus appel aux récepteurs sensoriels de distance, la vue et l'ouïe, que lorsqu'elles s'occupent de leur petit garçon, l'un et l'autre à l'âge de 1 mois. Moss et ses collaborateurs expliquent que la petite fille se développant plus tôt que le petit garçon, les mères les plus perspicaces ont peut-être adapté leurs démonstrations d'affection au sexe et aux exigences du développement respectif de leur enfant. On parle donc plus aux petits garçons, on les embrasse et on les berce plus, tandis que les petites filles sont plutôt encouragées dans leur faculté d'attention active par des stimuli (auditifs et visuels) souvent associés à un mécanisme cortical (cognitif) plus compliqué.

Il est assez intéressant de remarquer que la vivacité de la voix de la mère est un indice qui permet d'estimer la quantité et le type de stimulations qu'elle a procurées à son enfant jusqu'à l'âge de 3 mois. On a observé que les mères dynamiques donnaient à leurs enfants plus de stimulations que les femmes effacées. Les mères moins instruites ont tendance à offrir plus de stimulations physiques que les femmes instruites qui passent volontiers plus de temps à parler à leur petit garçon. On sait maintenant que la peur des étrangers ou le comportement fuyant d'un enfant lorsqu'on le regarde sont, entre 8 et 9 mois et demi, des comportements à rattacher au type de stimulations qu'il a reçues de sa mère dès son premier âge. Plus un bébé a été stimulé, et surtout, plus ses récepteurs de distance (la vue et l'ouïe) ont été entraînés, et plus, à l'âge de 8 à 9 mois et demi, il semble à l'aise avec un étranger. Moss et ses collègues pensent que des enfants habitués à faire l'expérience de stimulations visuelles et auditives nouvelles ont probablement une meilleure organisation mentale pour affronter et assimiler « l'étrangeté ». Les stimuli inconnus leur sont moins inhabituels et éveillent donc moins chez eux un sentiment d'incertitude et d'insécurité. Autrement dit, plus les enfants reçoivent de stimulations par les récepteurs de distance, et plus ils développent leurs aptitudes cognitives. Ils ont donc plus de ressources pour maîtriser les stimuli visuels et auditifs qui ne leur sont pas familiers.

Les démonstrations d'affection entre la mère et la fille sont moins inhibées qu'entre la mère et le fils. Mais entre le père et le fils, la seule pensée de marques d'affection du même genre est une idée qui gêne la plupart des pères américains. Un petit garçon enlaçant un autre petit garçon par l'épaule est une source de réel souci. Tout simplement, ça ne se fait pas. Même les femmes rechignent à se livrer à de telles manifestations envers les membres de leur sexe. Généralement, toucher les autres se fait dans un contexte sexuel. Toucher quelqu'un hors de ce contexte prête à des malentendus graves, dans la mesure où le toucher est en grande partie associé, voire réduit, à la sexualité. Lorsque l'acte sexuel est terminé, l'homme cesse de toucher sa partenaire, et même le plus souvent se retire dans son lit jumeau pour y passer seul le reste de la nuit dans une tranquillité et une absence de contact qui lui sont agréables.

A notre époque, les lits jumeaux dans lesquels mari et femme dorment séparés ont remplacé le lit conjugal dans lequel mari et femme dormaient ensemble. Il se peut bien que cette substitution soit liée de manière significative au déclin de l'allaitement au sein et à la réduction des contacts tactiles qui prévalaient autrefois. J'ai expliqué, par ailleurs, que les parents qui dorment ensemble entretiennent des relations entre eux et envers leurs enfants probablement différentes de celles que peuvent avoir les parents qui ont l'habitude de dormir dans des lits séparés. Les familles à lit conjugal tendent à être plus unies. « Garder le contact » dans le même lit donne une sensation très différente que de se disposer à dormir dans des lits jumeaux, séparés et sans contact.

Ce sujet a été étudié par deux anthropologues américains travaillant au Japon. Les docteurs William Caudill et David W. Plath ont étudié à Tokyo et à Kyoto l'habitude des familles japonaises de faire dormir ensemble parents et enfants, dans un cycle déterminé. Un citadin japonais peut s'attendre, pendant à peu près la moitié de sa vie — d'abord en tant qu'enfant puis en tant que parent — à partager un lit collectif avec un groupe de deux générations. Cela commence à la naissance et se poursuit jusqu'à la puberté, recommence à la naissance du premier enfant, cesse au moment de la ménopause de la mère, et réapparaît pendant quelques années à la vieillesse. Dans l'intervalle, l'individu dort généralement dans un groupe de la même génération, avec un frère ou une sœur après la puberté, avec son conjoint pendant quelques années après le mariage, et à nouveau avec son conjoint pendant les dernières années de l'âge adulte. Dormir seul est une alternative à laquelle on se résigne à contrecœur, mais qui se produit couramment dans les années entre la puberté et le mariage. Caudill et Plath concluent hardiment :

> La pratique du lit collectif dans les familles japonaises tend à combler les écarts de générations et de sexes, à mettre l'accent sur l'interdépendance des personnes, plus que sur leur individualité, et à réduire, voire franchement nier, l'éventualité d'une intimité, sexuelle ou autre, entre époux, au profit d'une cohésion familiale plus étroite.

L'hypothèse des auteurs repose sur le fait que...

> ... les tranches d'âge où les Japonais dorment seuls coïncident avec celles des plus forts taux de suicide. Le suicide, comme le fait de dormir seul, se produit le plus fréquemment pendant l'adolescence et au début de l'âge adulte, puis à nouveau pendant la vieillesse. C'est peut-être que dormir seul contribue au sentiment d'isolement et d'aliénation de l'individu pendant ces deux périodes. Tout au long du reste de sa vie, chacun tire le sentiment de sa signification en tant que personne du fait de dormir dans la proximité physique des autres membres de la famille.

Il se peut que, dans les familles japonaises, la pratique des lits communs crée les relations que Caudill et Plath énoncent; mais dans d'autres conditions, elle peut produire des effets inverses. Par exemple, dans la classe ouvrière, en Europe et ailleurs, les enfants ont souvent été obligés de partager le lit de personnes étrangères à la famille prises comme locataires par les parents. La répulsion provoquée par de telles expériences peut avoir des effets durables, dégoûter de tout contact physique avec des étrangers ou aboutir à d'autres réactions de rejet ou de fuite.

La privation tactile et l'héritage du puritanisme

En Nouvelle-Angleterre, nous nous attendions que les pratiques d'éducation des enfants portent l'empreinte du puritanisme et que les stimulations tactiles réciproques entre la mère et l'enfant soient réduites au minimum. Et effectivement, c'est bien le cas. Les Fisher, dans leur étude sur les pratiques d'éducation des enfants à Orchard Town, ont constaté que la plupart des bébés passaient une bonne partie de la journée seuls, dans un berceau, dans un parc ou dans le jardin. « Les contacts d'un bébé avec les autres personnes ne sont pas des contacts corporels étroits, comme dans beaucoup d'autres sociétés. »

Les gens de la Nouvelle-Angleterre, dans leur puritanisme, copient de très près les Anglais dont ils sont issus, et comme les Anglais, ils souffrent des effets de ce puritanisme. L'Anglais de la bonne société — et plus encore l'Anglaise de la bonne société — se caractérise par une incapacité notoire à exprimer une émotion, et par un manque de chaleur manifeste [1]. Bien sûr, les Anglais de la haute société n'ont pas tous ce trait de caractère, et sans doute beaucoup de membres de la classe moyenne ou de la classe ouvrière l'ont-ils. Mais ces comportements sont généralement dus à un manque d'amour parental, à une carence éprouvée dès les premiers âges et tout au long de l'enfance, qui se traduit par l'impossibilité d'avoir des relations chaleureuses et affectueuses avec les autres.

Les Anglais des classes moyennes et supérieures avaient l'habitude d'envoyer leurs enfants en internat, pour les confronter très jeunes aux institutions, hors de la chaude ambiance familiale. Cette tradition prive les enfants de l'amour et de l'affection qui sont si nécessaires au développement d'une personnalité équilibrée. Le manque d'amour parental, et surtout d'amour sous forme de stimulation tactile, constitue probablement l'une des causes de la froideur apparente et du caractère extérieurement flegmatique des Anglais des classes supérieures et souvent aussi des classes moyennes.

Sir William Eden, le père de Anthony Eden, et Hugh Walpole, le romancier anglais, sont des exemples typiques de ces Anglais

---

1. Derek Monsey décrit bien « la frigidité voluptueuse de la dame anglaise vouée à l'insatisfaction » dans son roman *Its Ugly Head* (sa vilaine tête), New York, Simon et Schuster, 1960, p. 38.

« froids » des classes moyennes et supérieures. L'équivalent américain est incarné par William Randolph Hearst, dont la vie effrayante est racontée avec éloquence et sensibilité dans le film d'Orson Welles, *Citizen Kane*. La victime de Citizen Kane, le patron de presse anglais Cecil King, fournit lui-même un nouvel épisode à la longue histoire des enfants mal aimés. Tous ces individus, représentatifs de milliers de cas similaires mais inconnus, se ressemblaient en ce qu'ils avaient souffert d'une enfance sans amour et de la même incapacité à avoir par la suite un comportement affectueux. Ce détail est intéressant à la lumière des observations de Clay, dans son étude sur les mères américaines : Clay avait constaté que les mères des classes supérieures donnaient un peu plus d'affection tactile à leurs enfants — l'affection tactile étant définie comme le comportement qui transmet l'amour par le toucher — que les classes moyennes ou ouvrières.

Le bain des bébés est un moment que l'on croirait privilégié pour les contacts tactiles. Or, ce n'est pas nécessairement vrai. Margaret Mead fait remarquer comment l'attention des bébés américains est distraite de la relation personnelle à sa mère par les jouets qu'on met dans sa baignoire. Ainsi, on focalise son attention sur des objets plutôt que sur des personnes. Et Margaret Mead dit aussi :

> Une Américaine normale peut ne jamais avoir tenu un bébé dans les bras jusqu'à ce qu'elle en ait un elle-même. Et souvent alors, elle se conduit comme si elle avait encore peur que le bébé se casse entre ses mains. En Nouvelle-Guinée et à Bali, au contraire, les femmes savent tout sur les bébés. On voit des petites nourrices, qui n'ont parfois pas plus de 4 ans, garder et bercer les bébés, et cette familiarité se lit dans tous leurs mouvements.

Dans la famille élargie, les grands-parents donnaient aux enfants une grande quantité de stimulations tactiles de toutes sortes. Avec la fin de la famille élargie, ces attentions sont maintenant limitées à une mère souvent peu démonstrative. Clay raconte qu'elle regardait un jour une grand-mère assise sous un arbre, près de son petit-fils attaché dans une poussette en plastique : « La grand-mère m'a dit avec une ombre de tristesse qu'elle voulait prendre le bébé dans ses bras, qu'il le voulait aussi, mais que d'après sa mère, il devait apprendre à être tout seul. »

Stimulation tactile et sommeil

Pour Anna Freud « s'endormir au contact de la chaleur d'un autre corps est un besoin fondamental de l'enfant. Mais cela irait à l'encontre de toutes les règles d'hygiène qui exigent que les enfants dorment seuls et ne partagent pas le lit parental ». Elle poursuit en disant :

> Le bébé a un besoin biologique de la présence constante et protectrice de l'adulte. On fait peu de cas de ce besoin dans la culture occidentale. On soumet les enfants à de longues heures de solitude en vertu de la conception fausse qu'il est bon pour un enfant d'être seul quand il dort, quand il se repose et plus tard quand il joue. Les premières ruptures dans le déroulement harmonieux du mécanisme des besoins et des satisfactions viennent de cette conception contraire aux besoins naturels. Ensuite, les mères viennent se plaindre que leur bébé a de la peine à s'endormir ou qu'il ne dort pas la nuit, même s'il est fatigué.

Dans le monde occidental, on rencontre constamment des enfants suppliant leur mère de s'étendre à côté d'eux, ou au moins de rester avec eux jusqu'à ce qu'ils soient endormis. Souvent les mères essaient de décourager ce désir. De son lit, l'enfant ne cesse d'appeler pour que sa mère reste près de lui, laisse la porte ouverte ou la lumière, lui raconte une histoire, lui apporte un verre d'eau, le borde, etc. Autant de symptômes du besoin de l'enfant pour cet objet fondamental, sa mère, avec qui il peut se sentir en sécurité. L'enfant dispose d'un certain nombre de moyens pour faciliter la transition de l'état de veille au sommeil : un animal familier qu'on peut prendre dans son lit, par exemple, ou un jouet en peluche, ou du tissu doux, ou encore diverses activités auto-érotiques comme sucer son pouce, se bercer ou se masturber. Mais lorsqu'on lui retire ces objets, on peut craindre une nouvelle vague de difficultés à s'endormir.

C'est dans sa deuxième année que l'enfant ressent le besoin d'un contact étroit pour s'endormir. On doit le lui offrir. Une mère motivée par le bien-être de son enfant ne devrait pas éprouver de difficultés insurmontables, même dans le monde moderne. à s'allonger un moment près de son enfant, à l'heure de le coucher, Normalement, cela n'est nécessaire que pendant la deuxième année. Il suffit que la mère reste le temps que l'enfant s'endorme. Peut-être même, avec les découvertes récentes dans ce domaine, pourront-elles réduire, voire supprimer, le temps qu'elles y consacrent. Les membres du centre de parents de Christchurch, en Nouvelle-Zélande, ont exploré une possibilité dans ce sens. Les femmes de cette association étaient parties de l'idée que dormir sur quelque chose de doux, la toison souple d'une peau d'agneau, par exemple, devait faire du bien aux bébés, et leur procurer autant de confort que les malades adultes retirent des peaux de mouton thérapeutiques pour invalides. Les peaux d'agneau sont tannées d'une manière particulière. Aux dernières nouvelles, 24 bébés avaient été bercés dans des couvertures en peau d'agneau : « Presque tous les bébés manifestaient clairement que la couverture leur procurait un confort accru, et dans un certain nombre de cas, les parents racontaient avec enthousiasme combien le bébé dormait mieux, et combien il était content. Pour beaucoup de bébés, les résultats ont été encourageants : nettement plus de sommeil et de plaisir pour l'enfant, moins de fatigue pour la mère. »

Les mères d'enfants handicapés, et en particulier d'enfants paralytiques, se disaient enchantées du mieux-être que leur bébé semblait tirer des couvertures en peau d'agneau [1].

_____

1. « Les bienfaits des peaux d'agneau pour les enfants handicapés », *Parents Centres*, Auckland, Nouvelle-Zélande, bulletin 41, novembre 1969, p. 14. A la même page, il est aussi question de la stérilisation des couvertures en peau d'agneau pour bébé. Les couvertures en peau d'agneau peuvent être commandées chez : G. L. Bowron & Co, Ltd, Christchurch, Nouvelle-Zélande; The Sheepskin Rug & Co, 33 Queen Street, Auckland, Nouvelle-Zélande (références bancaires : Credit Department, Southern Region, H. Q., Crocker Citizens National Bank, Los Angeles, Calif.); et enfin Donald Macdonald (Antartex) Ltd, Zone industrielle,

Il est très possible que les enfants aient moins de difficultés à s'endormir, lorsqu'ils sont plus grands, s'ils ont appris à dormir sur une couverture en peau d'agneau.

Une autre publication sur les peaux d'agneau indique cependant que toutes les peaux ne conviennent pas. Les meilleures doivent être d'une assez grande surface, avec une toison dense et fine comme celle des races merinos et corriedale, ou celle de l'agneau romney du Southdown. Des tests préalables effectués sur ces peaux d'agneau ont montré que les bébés dormaient plus longtemps et étaient plus heureux que dans des draps et sur des matelas conventionnels. Lorsqu'on lui retire sa peau de mouton, le bébé s'agite.

L'expérience tactile de l'enfant au Japon

Le docteur William Caudill et Mme Helen Weinstein ont réalisé une étude comparative tout à fait intéressante sur les méthodes d'éducation des enfants au Japon et aux États-Unis. Ils ont établi deux échantillons appariés de 30 bébés américains et 30 bébés japonais, tous âgés de 3 à 4 mois, également répartis par sexe; tous ces enfants étaient des premier-nés de familles très petites-bourgeoises et de milieu urbain. Des études préliminaires avaient laissé prévoir que les mères japonaises passeraient plus de temps avec leur bébé, qu'elles privilégieraient le contact physique au détriment d'une relation verbale et que leur idéal était un bébé passif et satisfait. Les chercheurs prévoyaient bien que les mères américaines passeraient moins de temps avec leur bébé, avantageraient les relations verbales plutôt que les contacts physiques et souhaiteraient un bébé actif et plein d'assurance. Dans l'ensemble l'étude a vérifié ces hypothèses, qui confirment d'autres travaux comparatifs sur les sociétés japo-

Lomond, Alexandria, Dunbartonshire, Scotland (principal dépositaire aux États-Unis : 120 Greenwitch Av., Greenwitch, Conn. 06830); succursales à Londres, New York, Cambridge (Mass.), Geneva (Ill.) et Minneapolis (Min.).

naises et américaines. Pour Caudill et Weinstein, « si les enfants ont acquis dès l'âge de 3 ou 4 mois des comportements différents, conformes à leur culture, c'est principalement parce que les modèles de relations à la mère sont différents dans les deux pays. Ces différences de comportement des enfants aux États-Unis et au Japon se situent dans la droite ligne des modèles privilégiés de relations sociales au fur et à mesure que l'enfant grandit et devient adulte ».

On admet globalement que les Japonais sont plus tournés vers le « groupe » et insistent plus sur leur relation d'interdépendance aux autres, alors que les Américains sont plus « individualistes » et indépendants. De ce fait, les Japonais ont tendance à être passifs et à s'effacer devant les autres ; les Américains, au contraire, ont une tendance à l'agressivité et cherchent à s'imposer.

Nous avons déjà parlé de l'usage d'un lit collectif dans les familles japonaises, par opposition à l'habitude de dormir seul dès le premier âge chez les Américains. Nous avons vu les différentes expériences tactiles qui en résultent. Il en est de même du bain : les Japonais et les Américains ont des façons très différentes de prendre leur bain, et ces différences sont très révélatrices. Au Japon, toute la famille prend son bain collectivement. Dès que c'est possible pour le bébé, c'est-à-dire dès l'âge de 2 mois, la mère ou un autre adulte le prend dans ses bras et ils se baignent ensemble dans la grande baignoire familiale (*furo*), ou dans les bains publics du quartier (*sento*). L'enfant continue à prendre son bain en famille jusqu'à l'âge de 10 ans environ, et même plus tard. La mère américaine, au contraire, prend rarement un bain avec son bébé ; elle préfère lui donner le bain, étant elle-même à l'extérieur de la baignoire, et elle communique avec lui en lui parlant et en soutenant son corps. A l'inverse de la pratique américaine, l'allaitement au sein est bien plus répandu au Japon que l'allaitement artificiel. Les bébés américains commencent à prendre de la nourriture semi-solide dès la fin du premier mois, alors que les bébés japonais n'entament un régime d'alimentation mixte qu'à la fin du quatrième mois. Il est très évident que l'enfant reçoit infiniment plus de stimulations tactiles sécurisantes au Japon qu'aux

États-Unis, à tel point qu'on perçoit distinctement les différences de comportement chez les enfants des deux pays dès l'âge de 3 ou 4 mois. Caudill et Weinstein résument leurs observations comme suit :

> Les bébés américains babillent plus que les bébés japonais, itls son plus actifs, plus curieux de leur corps et de leur environnement physique. Réciproquement, la mère américaine a une relation verbale plus intense avec son enfant et l'incite plus à une activité physique et à l'aventure. Au contraire, la mère japonaise a un contact corporel plus étroit avec son enfant. Elle l'apaise et le maintient dans un état de passivité vis-à-vis de son environnement. Ces grilles de comportement sont construites sur les modèles privilégiés de relations sociales, au fur et à mesure que l'enfant grandit et devient adulte.

Au Japon, lorsque l'enfant est en âge de marcher, on le laisse seul la plupart du temps, sans transition, et il doit apprendre à se conformer aux tabous implicites qui s'appliquent au toucher.

Selon Haring, la brusque rupture dans les habitudes du bébé crée une frustration. Jusque-là, il dépendait principalement de son contact avec les autres. Et sa frustration aboutira à un comportement émotionnel destiné à attirer l'attention sur les besoins frustrés. Chez le petit garçon japonais, elle prend la forme de crises de colère qu'il a le droit d'exprimer verbalement et physiquement sur le corps de la mère, mais non sur celui du père. Les accès de colère sont formellement interdits aux filles. Dans l'organisation rigide de la vie japonaise, on ne dispose pas de soupapes d'échappement qui pallient les effets de cette frustration, sauf la possibilité pour les petits garçons de se venger sur des animaux ou sur le corps de leur mère. Ultérieurement, l'alcoolisme joue peut-être aussi ce rôle d'échappatoire. Les filles doivent réprimer toute expression de leurs frustrations :

> La vengeance contre les frustrations tactiles peut être longtemps différée, devenir une motivation inconsciente de l'individu et se réaliser soit sous forme de suicide, soit dans le sadisme des guerres

ou la torture des faibles et des innocents. Chez les hommes, ces défoulements reçoivent l'approbation de la société. Apparemment les femmes vivent avec leurs refoulements, à moins de considérer comme une forme d'expression l'*hisuteri*, maladie nerveuse assez fréquente qui recouvre normalement des cas de nymphomanie et dont le nom vient du mot hystérie.

Au Japon, le comportement des hommes, à l'âge adolescent ou adulte, envers leur propre corps et celui des autres, est sans aucun doute une réaction à l'interruption brusque de la tactilité en général et des massages sur les parties génitales du petit enfant en particulier. Toutes les fonctions physiologiques, comblées pendant la petite enfance, tendent à devenir pour le Japonais adulte sources de frustration. Les fonctions sexuelles, même si elles sont matière à vantardises, sont refoulées avec dégoût.

Évidemment, le fait que les enfants japonais et américains reçoivent des stimulations différentes joue un rôle considérable dans le développement de leurs différences de comportement. Nous avons déjà vu ces différences de comportement dans les études que nous avons citées précédemment.

Différences nationales et culturelles dans la tactilité

Il existe toute une gamme de différences nationales et culturelles dans la tactilité, depuis l'absence totale de toucher comme dans la haute société anglaise, jusqu'à une expression presque complète de la tactilité chez les Latins, les Russes et dans les sociétés de tradition orale, en passant par des contacts plus ou moins limités. Dans ce continuum de tactilité, les Anglo-Saxons se situent à l'opposé des peuples latins, et les Scandinaves occupent une position intermédiaire. Je ne vais pas proposer ici un mode de calcul des variations de la tactilité pour tous les peuples du monde. L'information qui serait nécessaire n'existe pas, tout simplement. L'étude de Clay est unique en son genre, et encore porte-t-elle sur un tout petit échantillon de population dans une localité très précise de l'Amérique du Nord. Néanmoins, on peut tirer un certain nombre de conclusions évidentes à partir de l'observation globale de quelques différences très marquées dans la tactilité de certains peuples.

Il existe non seulement des différences nationales et culturelles dans le comportement tactile, mais aussi des différences de classe. Globalement, on peut dire que plus on s'élève dans la hiérarchie sociale, et moins on trouve de tactilité, et plus on descend et plus on en a. Mais, nous l'avons vu, cc n'était pas vrai dans l'exemple américain étudié par Clay, où lcs mères des classes supérieures semblaient plus à leur aise en matière de tactilité que les mères des classes populaires. Peut-être faut-il généraliser cette constatation à toute la population américaine, à l'exception des Noirs et des autres « minorités ». Alors qu'en Europe, et en Angleterre en particulier, les classes supérieures sont quasi héréditaires et très fermées sur elles-mêmes, aux États-Unis au contraire, la mobilité sociale est si grande qu'on peut passer du bas de l'échelle sociale à son sommet en l'espace d'une seule génération. Les parents de la seconde génération évoluent beaucoup plus librement que leurs propres parents dans le statut social atteint par les générations antérieures, et sont aussi plus libres dans leurs conceptions sur des domaines aussi importants que l'éducation des enfants. De ce fait, les nouveaux venus dans les classes aisées donneront souvent à leurs enfants plus de soins et d'attentions que les membres des autres classes. Quelle que soit l'explication pour l'exemple de Clay, il semble qu'il existe une corrélation tout à fait significative entre l'appartenance à une classe sociale et la tactilité, et cela en grande partie du fait d'un conditionnement précoce.

En Angleterre, dans les classes aisées, les relations entre parents et enfants, de la naissance à la mort, étaient et sont toujours distantes. D'ordinaire, à la naissance, on donne le bébé à une nourrice qui l'allaite au sein pendant une période assez courte, ou lui donne le biberon. Généralement, les enfants sont élevés par des gouvernantes et, très jeunes, on les envoie à l'école, loin de la maison. Ils reçoivent donc très peu de sensations tactiles. Il n'est pas difficile de comprendre comment, dans ces conditions, le non-toucher s'est institutionnalisé facilement et fait partie du mode de vie. Une personne bien élevée ne touchera jamais quelqu'un sans son consentement. La plus petite bousculade, fût-elle accidentelle, exige des excuses, même si l'autre est un parent ou un frère. Très souvent, une enfance où les stimulations tactiles ont été réduites au strict minimum, une enfance privée d'affection et endurcie par l'expérience de la public school (qu'on appelle ainsi en Angleterre, justement parce qu'elle n'est pas publique) produit un être humain sans émotion et tout à fait incapable de relations humaines chaleureuses. De tels individus font d'excellents gouverneurs pour l'Empire britannique car ils sont rarement capables de comprendre les besoins humains les plus simples.

Les public schools anglaises, comme chacun sait, sont des pépinières d'homosexuels. Ce sont des écoles de garçons uniquement, où tous les professeurs sont des hommes, et le seul amour qu'un jeune garçon puisse jamais recevoir ne peut venir que d'un autre garçon ou d'un professeur. Les carences parentales dont souffrent beaucoup de ces jeunes gens produisent un fort taux d'homosexualité. Des personnalités aussi célèbres qu'Algernon Swinburne, J. A. Symonds, Oscar Wilde, Lord Alfred Douglas et nombre d'autres sont toutes issues de ce genre de parents et de ce genre d'écoles. Il n'y a pas à s'étonner que des enfants affectivement abandonnés par leurs parents cherchent à trouver une relation humaine dans une amitié sexuelle avec d'autres garçons ayant le même problème.

Parce que la plupart des Anglais de la haute société ont subi un conditionnement au non-toucher, la tactilité a acquis une connotation négative latente dans la culture anglaise. C'est si vrai que le sens du toucher et l'acte de toucher sont culturellement entachés de vulgarité. Les démonstrations publiques d'affection sont vulgaires. Toucher quelqu'un est vulgaire. Il n'y a que les peuples qui ne sont déjà presque plus des Blancs, comme les Latins, les Russes ou autres, pour avoir l'idée de se prendre par le bras ou par l'épaule, sans parler d'obscénités telles que s'embrasser sur la joue!

Dans leur refus de tactilité, les Allemands sont allés encore plus loin que les Anglais, si c'est possible. La valorisation des « vertus » guerrières, la suprématie d'un père strict et intraitable, et la complète soumission de la mère dans la famille allemande produisent des enfants au caractère fort, rigide et intransigeant. L'Allemand moyen n'est donc pas, entre autres traits de caractère, quelqu'un de très « tactile ».

A la différence des Allemands, les Autrichiens sont plus démonstratifs et embrassent volontiers des amis proches. En Allemagne, cela arrive rarement, sauf parmi les hommes de la communauté juive. Mais il s'agit là d'une autre question, car chez les Juifs, la tactilité est très développée.

Les Juifs, comme tribu, comme culture ou comme peuple, se caractérisent par un très fort degré de tactilité. La « mère juive » est proverbiale pour son attachement profond et infatigable à ses enfants. Aujourd'hui encore, les enfants sont nourris au sein à la demande, et abondamment cajolés par la mère, le père, les frères et sœurs. Les Juifs sont donc très démonstratifs, et il est parfaitement normal qu'un homme continue, même adulte, à saluer son père en l'embrassant et en l'étreignant pour lui dire bonjour ou au revoir. En quarante ans d'observation, je n'ai vu qu'une fois un Américain adulte (en l'occurrence, il avait une vingtaine d'années) saluer son père en l'embrassant. De quelle origine culturelle était cet Américain, je n'en sais rien.

Les Américains d'origine anglo-saxonne ne sont pas tout à fait aussi allergiques à la tactilité que les Anglais ou les Allemands, mais ils n'en sont pas loin. Les petits garçons américains n'embrassent, ni n'enlacent plus leur père dès qu'ils sont « grands ». « Grands », en l'occurrence, signifie environ 10 ans. De même, aux États-Unis, les hommes n'enlacent pas leurs amis, comme le font les Latino-Américains.

Il y a clairement des gens de contact et des gens de non-contact. Les Anglo-Saxons sont sans équivoque parmi ces derniers. Les membres des cultures non tactiles ont de curieux codes pour exprimer leur non-tactilité dans différentes situations. On a observé, par exemple, que la façon dont les Anglais se serrent la main est une façon de signifier à l'autre de garder ses distances. On s'en aperçoit aussi dans les comportements de foule. Par exemple, dans un lieu surpeuplé comme le métro, les Anglo-Saxons se tiennent raides et rigides avec un visage impassible et sembleront nier l'existence des autres passagers. Le contraste est frappant avec le métro français. Là, les passagers s'entassent, s'appuient les uns sur les autres, sinon dans un complet abandon, du moins sans sentir la nécessité ni d'ignorer ses voisins ni de s'excuser auprès de ceux qu'ils ont poussés ou bousculés. Souvent même, cette presse, ce « roulis », donnera lieu à des plaisanteries et à des rires bon-enfant, et en tout cas les gens n'évitent pas de croiser le regard du voisin.

Lorsqu'ils attendent l'autobus, les Américains s'espaceront comme des hirondelles sur un fil télégraphique, au contraire les Méditerranéens se pousseront et s'agglutineront tous ensemble.

Sidney Smith, le « Smith des Smith », le grand humoriste anglais, s'est amusé dans un texte écrit en 1820 à décrire les différentes façons de serrer la main.

> Avez-vous remarqué, écrit-il, comment les gens vous serrent la main? Il y a le mode « très officiel » — le corps droit et la poignée de main rapide, brève, la main haut levée, près du menton. Il y a le genre « main morte » — la main à plat introduite dans la vôtre, et qui n'a pas vraiment conscience de votre contact. Ou encore le salut « digital », qui se fait un seul doigt tendu, et qui se pratique beaucoup dans le haut clergé. Il y a aussi le *shakus rusticus*, la poignée de main rustique, où on vous serre la main dans un étau, ce qui dénote une solide bonne santé, un cœur chaleureux et un certain style provincial quant aux bonnes manières; vous ressentez un indicible soulagement lorsque vous retrouvez votre main sans avoir les doigts cassés. La « poignée de main tenace » ressemble un peu à la précédente. Elle commence avec vigueur, s'arrête comme pour reprendre son souffle mais sans lâcher sa proie, et recommence avant que vous n'ayez pu réagir. Jusqu'à ce que, inquiet du résultat, vous n'ayez plus de répondant. La pire, c'est la poignée de main poissarde — la paume humide comme un poisson mort, aussi muette, aussi moite et laissant son odeur dans votre main.

Ce petit passage sur les poignées de main nous amène à la question des salutations tactiles en général. Elles constituent une forme de comportement tactile auquel on a peu prêté attention. La poignée de main est clairement une preuve d'amitié.

Ortega y Gasset a construit une théorie sur l'origine de la poignée de main qui ne tient pas debout d'un point de vue anthropologique. Il voit dans la poignée de main la soumission du vaincu ou de l'esclave à son maître. La théorie n'est pas absolument neuve, mais comme Westermarck l'a fait remarquer, il semble que la poignée de main ait à peu près partout la même origine que les autres cérémonies comportant un contact corporel. Les gestes de salutations peuvent exprimer non seulement l'absence d'intention malveillante, mais aussi l'amitié positive. Quelles que soient ses origines, la poignée de main est très évidemment une communication tactile. De même que le fait de joindre les mains, de se mettre la main sur le cœur, de se frotter le nez mutuellement, de s'étreindre, de s'embrasser et même de se donner des claques dans le dos, de se tenir par le menton, de se passer mutuellement la main dans les cheveux, comme le font certains peuples. Il y a déjà longtemps, Westermarck avait fait remarquer que les différentes façons de se saluer en se touchant « sont évidemment des expressions directes d'affection ». Il ajoutait :

> Sans aucun doute, se prendre par la main a le même sens que d'autres signes de bonne amitié. Chez certains Australiens, des amis qui se rencontrent après une absence « s'embrassent, se serrent la main, et quelquefois pleurent ensemble [1] ». Au Maroc, lorsque deux hommes de même niveau social se saluent, ils ont un rapide mouvement pour se serrer la main, la retirent immédiatement, et embrassent chacun sa propre main. Les Soolimas, eux, se saluent de la main droite, paume contre paume, et de ces mains jointes se touchent le front puis le côté gauche de la poitrine.

Dans le monde occidental, tapoter la joue ou la tête de quelqu'un, le prendre par le menton sont des signes d'affection et ce sont bien des comportements tactiles. Ces salutations tactiles, pour marquer l'amitié ou l'affection, trouvent probablement leur origine dans les toutes premières démonstrations

---

1. Pour une étude des larmes comme forme de salutation, voir W. G. Summer, A. G. Keller et M. R. Davie, *The Science of Society*, New Haven, Yale University Press, 1927, vol. 4, p. 568-570.

d'affection tactile que l'enfant a reçues de sa mère et de son entourage.

La façon de se saluer est surtout différente selon les sexes. Par exemple, dans le monde occidental, les hommes ont l'habitude de se serrer la main, mais pas les femmes. Elles s'embrassent ou s'enlacent lorsqu'elles sont amies, et ne se serrent la main que lorsqu'elles se rencontrent pour la première fois ou qu'il s'agit de connaissances lointaines. Les hommes ne tendent pas la main à une femme, ils s'inclinent, à moins que la femme ne tende elle-même la main. Dans les pays anglophones, on serre la main d'une femme; dans les pays latins, on lui fait le baise-main. Ces dernières années, les hommes se sont mis à embrasser les femmes dans des cas où, conventionnellement, ils auraient juste dû s'incliner ou leur serrer la main. Autres temps, autres mœurs.

Les Canadiens d'origine anglo-saxonne surpassent peut-être les Anglais en matière de non-tactilité; les Canadiens-Français, quant à eux, sont aussi démonstratifs et tactiles que leurs compatriotes d'origine.

Les Français s'enlacent et s'embrassent volontiers entre hommes. Les cérémonies donnent lieu à des accolades et des embrassades. Par exemple, lorsqu'un général décore un autre officier, il lui donne l'accolade et l'embrasse cérémonieusement sur les deux joues. Les Anglo-Saxons sont gênés de ces manières, en ricanent et les blâment plutôt. Alors que la non-tactilité des Anglo-Saxons signifie pour la plupart des gens du toucher qu'ils sont froids et incapables d'émotion.

Les Russes, qui sont des gens très tactiles, reçoivent énormément de stimulations cutanées lorsqu'ils sont petits et gardent toute leur vie le contact tactile facile. La plupart des bébés russes étaient autrefois emmaillotés. Cela leur garantissait un grand nombre de stimulations tactiles, car on les démaillotait forcément pour leur donner le sein, les nourrir, les baigner, les laver et s'en occuper en général. Les tenants des thèses sur l'emmaillotement expliquent la plupart des traits de caractère des Russes de la Grande Russie (Russie du Centre et du Nord-Est) par les entraves que les enfants subissent en étant serrés dans les langes, mais ils semblent ne pas avoir tenu compte de ce détail. Il est vrai qu'on séparait les enfants de leurs parents; que leurs contacts humains se limitaient à leurs frères et sœurs et à leur nourrice; qu'enfin on ne les sortait de la pouponnière et des quartiers d'enfants que pour leur faire réciter de la poésie, chanter ou jouer d'un instrument de musique. Le fait que l'enfant soit alternativement entravé, lorsqu'il était emmailloté, puis libéré de ses langes pendant l'allaitement ou autres soins lui procure donc une impression de « tout ou rien », qu'il associe à la sensation de plaisir. Adulte, le Russe retrouve ce sentiment dans sa vie émotionnelle, où tout plaisir est vécu comme orgiaque.

Dans *The Study of Culture at a Distance* (l'étude d'une culture lointaine) publiée par Mead et Métraux, il y a quelques pages très intéressantes sur le sens du toucher chez les Russes, écrites avec sensibilité par une femme, chercheur au Centre de recherches sur les cultures contemporaines. Le passage vaut la peine d'être totalement reproduit ici.

> Le dictionnaire de la langue russe définit le sens du toucher comme suit : « En réalité, on peut réduire les cinq sens de l'homme à un seul : le sens du toucher. Toucher signifie prendre conscience, percevoir par le corps, la main ou les doigts. »
> Il y a deux mots pour exprimer l'idée de « sentir », en russe. *Ossyszat*, lorsqu'on « sent » avec une partie extérieure du corps. Mais lorsqu'on « sent » (= éprouve) sans toucher, sans contact direct, on dit *oschuschat*, pour exprimer que l'on éprouve quelque chose physiquement, moralement ou spirituellement. « J'ai froid ou je ressens le froid : *oschuschat* » ou « je me sens bien, heureux : *oschuschat* ». Mais, si on touche quelque chose à la main, on dira « je sens : *ossyazat* », ce qui ne signifie pas « j'éprouve », mais plutôt « je tâte, je tâtonne »...
> Il existe bien un adverbe *ossyasatelny* (tangiblement), mais les Russes évitent de l'utiliser. Je n'ai jamais entendu personne l'employer, et je ne l'ai pas non plus rencontré dans la littérature. En russe, une preuve « tangible » s'appellera plutôt une preuve « matérielle ». Le toucher n'est pas considéré comme un bon moyen d'investigation. On ne doit pas avoir besoin de toucher un objet que l'on peut voir de ses propres yeux. L'un de mes professeurs de collège, en Russie, se plaignait que ses étudiants étaient des « sauvages ». Lorsqu'en leur montrant un os, il attirait leur attention sur une

cavité, la majorité des élèves enfonçaient le doigt dedans. On apprenait pourtant aux enfants à ne pas toucher tout ce qu'ils voyaient. Ils savaient cela très rapidement et lorsque vous tendiez quelque chose à un enfant pour qu'il le regarde — un morceau de velours ou un chaton par exemple — l'enfant le prenait et le caressait contre sa joue.

Les Russes, en général, se touchent beaucoup moins que les Américains. Ils pratiquent peu les jeux de main, les grandes tapes dans le dos. Ils câlinent et cajolent moins leurs enfants. A l'exception du Russe qui est très heureux ou qui a bu : alors il serre les gens sur son cœur. Mais ça ne veut pas dire les toucher. Il ouvre grand les bras comme pour étreindre le monde entier, et vous serre contre sa poitrine. La poitrine est le lieu d'élection de l'âme, et ce geste signifie qu'il vous prend dans son cœur.

Ce sont là des observations intéressantes, même si leur cohérence interne n'est pas parfaite. Par exemple, si les Russes sont non tactiles, pourquoi donc les étudiants enfoncent-ils le doigt dans la cavité de l'os? En dépit de ce qu'en dit ce chercheur, presser quelqu'un sur son cœur ressemble fort à du toucher. Les officiels soviétiques se donnent l'accolade et souvent s'embrassent lorsqu'ils se rencontrent; ils adoptent éventuellement le même comportement envers leurs hôtes étrangers si cela doit servir aux reportages télévisés et aux photographes.

Le père, la mère, l'enfant et la peau

Nous l'avons vu, le contact avec la peau joue un rôle fondamental dans la relation symbiotique qui doit se maintenir entre l'enfant et sa mère. Le père aussi devrait spontanément établir cette communication par la peau, même s'il le fait moins, et de façon moins continue que la mère. Mais dans les sociétés civilisées, les hommes sont, encore plus que les femmes, engoncés dans des vêtements, et cette barrière artificielle entrave toute communication cutanée entre le père et l'enfant. Le plaisir de donner et de recevoir des stimulations tactiles tisse une relation où l'investissement personnel est de plus en plus profond et réciproque. Il est l'un des principaux facteurs qui développent l'aptitude à aimer. Cet échange de sensations de plaisir a normalement lieu entre la mère et l'enfant. Dans nos sociétés, le père est, la plupart du temps, privé de ces échanges de caresses. Il n'est donc pas étonnant que, chez nous, les enfants développent plutôt des processus d'identification à la mère.

En cela, comme à beaucoup d'autres égards, le garçon est exposé à beaucoup plus de risques. Richie l'a bien fait remarquer :

> La fille qui grandit et se développe a peu ou prou sous les yeux le modèle de sa mère, qu'elle reproduit plus ou moins directement. Alors que l'homme qui aborde sa vie commence lui aussi par une relation fondamentale avec l'objet maternel, mais doit la rompre un peu plus tard et renoncer à toute identification avec la mère. Il doit inventer entièrement son rôle de mâle. Les hommes doivent opérer un renversement dans leur processus d'identification au cours de leur développement et il peut se produire un tas de choses pendant cette période-là.

D'ailleurs, il s'en produit souvent et, malheureusement, ce sont fréquemment des mésaventures. Le garçon a beaucoup plus de difficultés que la fille à grandir, à se séparer de l'amour maternel et à s'identifier à un père avec qui il n'a jamais été aussi profondément lié qu'il l'a été — et qu'il le reste — avec sa mère. Le retournement d'identification auquel il est contraint donne lieu à quelque chose qui ressemble à un conflit. En temps normal, il cherche à le résoudre en rejetant la mère, et en la reléguant dans un statut inférieur à l'image qu'on lui en avait donnée, tout d'abord. On peut dire que l'antiféminisme des hommes est une réaction de défense contre leur très forte tendance inconsciente au culte de la mère. Lorsque l'homme est sans défense, lorsqu'il est à la dernière extrémité, lorsqu'il meurt, ses dernières paroles sont comme son premier mot, « maman », dans une réminiscence de son sentiment pour sa mère qu'il n'a jamais répudiée vraiment, mais dont il a été forcé de se séparer au moins extérieurement.

Si notre société pouvait reconnaître que les sensations tactiles qui viennent du père sont aussi importantes que celles que donne la mère, nous ferions un pas considérable vers l'amélioration des relations humaines. Il n'y a rien qui empêche un père de baigner son enfant, de le sécher, de le cajoler, de le caresser, de le dorloter, de lui changer ses couches, de le laver, de le tenir, de le bercer, de le porter, de jouer avec lui et de continuer à lui donner toutes sortes de stimulations tactiles affectueuses. La seule chose qui retienne les hommes sur la voie de ces épanchements, c'est le préjugé vieillot et démodé qui veut qu'une telle conduite soit féminine et donc inconvenante pour un homme. Heureusement, cette tradition-là est en train de tomber rapidement en désuétude et on considère de plus en plus que les jeunes pères doivent, bien plus volontiers qu'autrefois, se livrer à toutes sortes de jeux « féminins » avec leurs enfants, ce que l'on aurait considéré comme au-dessous de la dignité d'un vrai homme, il y a seulement une génération.

Winnicott a observé que le geste physique de porter un enfant est une forme d'amour, et peut-être en fait la seule manière dont une mère peut manifester à son enfant son amour pour lui. C'est également vrai du père ou de n'importe qui d'autre. Et comme le dit Winnicott : « Il y a ceux qui peuvent aimer un enfant, et ceux qui ne peuvent pas. Ceux-là créent chez l'enfant un sentiment d'insécurité et une détresse flagrante. »

La stimulation tactile et l'expression de l'hostilité

Au XIXᵉ siècle, et probablement aussi avant, les hommes, en Occident, avaient l'habitude d'aborder les enfants en leur pinçant les joues ou les oreilles. Ces mœurs subsistaient encore au début du XXᵉ siècle. Les victimes de ces agressions ont dû être douloureusement perplexes devant ces comportements et, dans certains cas, établir un lien étrange entre la peau, la douleur et les prétendues démonstrations d'affection. Il est intéressant de noter que seuls les hommes se rendaient coupables de telles pratiques, et souvent envers les petits garçons, bien que les filles, à cause de leurs tresses, n'aient pas échappé entièrement à leurs attentions. Un des jeux favoris consistait à prendre l'enfant par le menton, entre le pouce et l'index, et à le pincer fortement. On pouvait faire subir le même traitement aux oreilles ou les tirer, ou leur faire une pichenette du doigt encore plus douloureuse. Couramment, on passait la main dans les cheveux des enfants, en leur emmêlant les cheveux, on les pinçait, on leur tapait sur les fesses ou on les poussait. Cela faisait partie des affronts auxquels les enfants étaient soumis, en guise de marques d'affection. Généralement, on réservait la grande bourrade dans le dos aux adolescents déjà plus âgés ou aux hommes adultes. Manifester ainsi son affection par des agressions douloureuses sur la peau ne peut provenir que d'individus ayant eux-mêmes été victimes des mêmes traitements anormaux.

Les enfants qui ont été mal aimés, ou ceux qu'on a frustrés dans leur besoin d'amour font preuve d'une grande agressivité dans leurs activités verbales. Pour la même raison, les enfants qui n'ont pas bénéficié d'une affection tactile précoce seront souvent maladroits et frustrés dans leurs tentatives pour exprimer leur affection. Il y a des hommes qui arrachent presque la main qu'ils serrent lorsqu'on leur présente quelqu'un. D'autres accueillent familièrement le nouveau venu en lui pinçant familièrement la poitrine ou le ventre, comme marques d'affection. En général, ces gens-là sont plutôt rustres, frustes et grossiers avec le « sexe faible ». Le manque d'affection et la privation de tendresse et de tactilité dans l'enfance allant souvent de pair, on n'est pas surpris de constater qu'un enfant mal aimé est balourd, non seulement dans ses démonstrations affectives, mais aussi dans son propre corps. Il a le don de prendre les autres à rebrousse-poil parce qu'il n'a pas eu lui-même la chance d'être caressé dans le bon sens.

Les façons un peu rudes envers les garçons pour leur exprimer de l'affection ont beaucoup évolué. Comme tactilité agressive, il ne subsiste plus que les expressions de colère envers l'enfant, comme les claques, les fessées ou les bourrades. Les punitions corporelles sont encore très répandues dans le monde occidental et la peau n'est pas seulement une cible ou un simple véhicule de la sensation de douleur, elle est aussi un organe directement associé à la colère, à la punition, au péché, à l'agression, à la méchanceté, au démon.

Lawrence Frank a fait remarquer :

> On a souvent recours à la fessée ou aux claques pour punir un enfant. Ce faisant, on utilise sa sensibilité tactile comme moyen principal de le faire souffrir, et on le prive de toutes les sensations habituelles de bien-être en les remplaçant par des sensations douloureuses.
>
> La tactilité infantile, comme les autres besoins organiques, se transforme progressivement, au fur et à mesure que l'enfant apprend à accepter la voix de la mère comme un substitut à son contact, ses intonations rassurantes étant pour l'enfant équivalentes au contact physique étroit; ses réprimandes et ses éclats de voix sont une punition qui le font pleurer comme si ça lui faisait mal.

Une remarque méchante « fait mal » autant qu'une tape ou un coup douloureux. Une remarque cinglante « blesse » comme si la peau avait été écorchée. Des mots peuvent aussi « piquer au vif ».

Certains parents, surtout les pères, se font un devoir d'expliquer aux enfants pourquoi ils les punissent avant de les frapper. Ils pensent ainsi leur apprendre à dissocier l'application d'une douleur corporelle de la manifestation d'une émotion quelconque. Les nazis étaient particulièrement favorables à cette méthode. Il n'y a aucun doute que leur inhumanité, leur manque d'affectivité venaient en grande partie d'un conditionnement précoce, du fait entre autres que leur expérience tactile avait été négligée, ou du moins réduite aux stimulations punitives. Ce qui constitue un apprentissage tactile particulièrement néfaste.

Dans les public schools anglaises, les volées de coups de canne, généralement administrées par les aînés, les « préfets », étaient traditionnelles. Toute manifestation d'émotion, que ce soit de la part du donneur de coups ou de sa victime, était strictement prohibée. Bien sûr, cette épreuve servait à dissocier douleur et émotion. A partir de là, on pouvait non seulement rester indifférent à la douleur des autres, mais même infliger une douleur sans avoir conscience du tout que simplement la victime existait. Cela explique que des Anglais de bonne éducation s'adonnaient consciemment à des plaisirs souvent cruels et qu'ils faisaient preuve d'une parfaite indifférence et d'un manque total d'humanité quant aux conséquences de leurs actes [1].

Juste avant une fessée, et au moment même où on le frappe, l'enfant est souvent terrifié, montrant tous les signes extérieurs d'une grande peur : pâleur, rigidité musculaire, accélération des battements du cœur, et larmes. Les personnes qui ont subi de telles expériences pendant leur enfance retrouveront fréquemment des réactions identiques plus tard dans leur vie, en cas de contrariété émotionnelle. Dans leur effort pour se défendre contre des épanchements incontrôlés d'émotion, elles deviendront rigides et contractées, pinçant les lèvres, se tordant les mains, etc. Voilà quelques recettes, comme aussi celle de se mettre un bâillon sur la bouche, pour empêcher toute émotion de s'exprimer, retenir les larmes et se durcir aux coups grâce à la tension musculaire. La tension musculaire est un moyen fréquemment utilisé pour contrôler les troubles émotionnels et les sensations. On a même vu des gens s'enfoncer les ongles dans les paumes jusqu'à ce qu'elles saignent dans leur effort pour bloquer toute expression d'émotion. La peau peut être traitée de façon ambivalente, à la fois comme un moyen d'attirer l'attention sur ses propres besoins, et en même temps comme un moyen de rejeter les autres. Comme Clemens Benda l'a dit :

> Les maladies de la peau sont la démonstration vivante des difficultés de garder le contact — une peau irritée, un nez qui coule, une bouche qui s'infecte —, chaque point de contact interne ou externe est un point d'interférence possible pour les différents flux d'échanges humains.

Nous suggérons bien sûr ici que des comportements de cette nature sont étroitement liés aux expériences tactiles individuelles pendant l'enfance et l'adolescence.

1. Ce que montre parfaitement le film anglais *If* porté à l'écran en France en 1969.

Le comportement tactile de l'enfant
envers la mère

Harlow, dans ses études sur les singes rhésus, a clairement établi que le contact corporel du jeune animal avec sa mère est l'expérience la plus importante pour son développement ultérieur; il en va de même pour le petit de l'homo sapiens.

Les quatre phases de la relation affective mère/enfant, aussi bien chez les singes que chez les humains, sont : 1. une étape réflexe pendant laquelle le bébé réagit automatiquement aux stimuli que la mère lui présente; 2. une période d'attachement affectif; 3. une phase de sécurisation; et 4. l'état d'indépendance. L'état réflexe dure seulement quelques semaines chez les singes rhésus et quelques mois chez les bébés humains. La phase d'attachement affectif commence chez les bébés à 2 ou 3 mois et se développe progressivement tout au long de la première année. En lui souriant, en se pelotonnant dans ses bras, en gazouillant, etc., l'enfant commence à prendre l'initiative de montrer une affection active à sa mère. Chez les singes rhésus, le lien profond à la mère s'exprime par l'allaitement et le toucher, qui sont fondamentaux pendant la première année. La seconde année, le petit s'agrippe à sa mère et la suit, et les réponses visuelles et auditives se multiplient. La troisième étape, la phase de sécurisation, suit de très près la phase d'attachement. Elle commence par ce qu'on appelle « l'anxiété des 6 mois » et on la considère comme la période pendant laquelle l'enfant commence à faire l'expérience des sensations de peur induites visuellement. Les réponses maternelles à l'enfant au cours de cette période sont des gestes de confort, de protection, de mise en confiance, dans toutes les situations où l'enfant se sent apeuré ou en état d'insécurité. Dans ces cas-là, les petits singes courent vers leur mère et s'agrippent à elle. « Dans les minutes, ou même dans les secondes où il a rejoint sa mère, les mains du sujet et son corps se détendent, et le petit singe (ou l'enfant) peut affronter visuellement la cause de sa peur, sans pratiquement montrer de signe d'anxiété. » Avec le temps, les réactions apaisées du petit animal, qui viennent des satisfactions sécurisantes que sa mère lui a données, mettent le jeune singe à même de quitter sa mère et d'explorer le monde par lui-même, prudemment tout d'abord, et de façon plus assurée ensuite.

Comme le dit Clay :

> On peut considérer que la mère est le centre, le pivot de la sécurité de l'enfant. Lorsque l'enfant devient capable de se promener, il ne veut plus rester en contact physique avec la mère; le contact visuel lui suffit. On utilise le concept de « distance de comportement » pour exprimer l'éloignement de la mère que peut accepter en toute sécurité l'enfant qui se déplace.

Lorsque l'enfant grandit, au cours de son processus de socialisation, sa distance de comportement s'accroît.

Dans son étude, Clay avait constaté que les tout-petits, ceux qui ne marchaient pas encore, passaient plus de temps que les autres en contact avec leur mère. C'était la période où l'attachement affectif des enfants à leur mère était à son apogée. Dès que l'enfant sait marcher, il multiplie ses incursions dans le monde extérieur loin de sa mère. Cependant, son indépendance est encore incertaine, car il doit maintenir un contact visuel avec sa mère, ou au moins savoir où elle est, pour se sentir en sécurité. Clay avait constaté que l'enfant qui n'avait pas de contact tactile satisfaisant avec sa mère n'avait aucun élan tactile vers elle. Elle présentait deux exemples de ce comportement, tous deux dans la phase où l'enfant marche à quatre pattes. Ces enfants restaient loin de leur mère dans la période où, normalement, l'attachement affectif est le plus fort. Cependant, les enfants qui ont une relation tactile tout à fait satisfaisante avec leur mère ne s'accrochent pas plus à leur mère pour autant. Finalement, ce sont les enfants très anxieux qui ont les besoins tactiles les plus forts, ce qui montre bien la fonction physique de la mère comme havre de sécurité. L'un de ces enfants avait souffert d'un manque d'attentions maternelles à son égard et les deux autres subissaient le contrecoup des difficultés conjugales entre leurs parents. « Ces trois enfants s'accrochaient à leur mère comme des petits singes et étaient incapables de quitter le giron maternel, d'explorer leur environnement et de jouer, sauf pour de très brèves sorties. »

Dans l'étude de Clay, les enfants des classes moyennes expriment plus facilement leur affection tactile envers leur mère que les enfants des deux autres classes. Clay émet l'hypothèse que cela tient peut-être à ce qu'ils reçoivent plus de contacts tactiles lorsqu'ils sont nourrissons et dans la phase où ils commencent à trottiner.

Les Harlow ont fait remarquer que « toutes les interactions qui se nouent entre la mère et l'enfant dans la relation d'allaitement, dans le contact corporel et dans les pratiques imitatives contribuent au sentiment de sécurité de l'enfant. Mais il est établi pour le singe rhésus que c'est le bien-être du contact corporel qui est la variable déterminante ». Cela semble vrai aussi du bébé humain.

Le contact et le jeu

L'importance du jeu dans l'apprentissage est maintenant presque unanimement reconnue. Harlow a expliqué que toutes les formes de comportement ludique exprimaient le désir fondamental de l'exploration de l'environnement physique et de la manipulation d'objets inanimés. Apparemment, « le jeu et l'aventure sociale prennent le pas sur le jeu et la découverte de l'environnement physique parce que les objets animés présentent plus d'intérêt et qu'ils réagissent et répondent ».

Chez les singes, observés par Harlow, la découverte des objets matériels précédait l'exploration sociale, et chacune se faisait en trois temps : 1. une exploration visuelle pendant laquelle le petit singe se dirige vers l'objet ou l'autre animal, s'en approche tout près et le scrute intensément; 2. une exploration orale pendant laquelle ils se mordillent gentiment l'un l'autre; et 3. une exploration tactile qui consiste à pincer ou étreindre prestement l'objet ou l'animal. Nous nous apercevons là encore que le sens tactile est dominant et il est important de comprendre que ces différents éléments ne sont pas séparés, mais sont en relation les uns avec les autres : lorsque nous parlons d'exploration visuelle, il ne faut pas la concevoir comme un comportement qui n'a rien à voir avec l'exploration tactile ou orale, mais au contraire comme des comportements coordonnés.

Chez les singes rhésus, la phase d'attachement étroit de l'enfant à sa mère doit être achevée pour que l'enfant puisse entrer dans la phase de jeu avec des compagnons de son âge. Là encore, on trouve trois temps : 1. une phase réflexe; 2. une période de manipulation; et 3. le stade du jeu réciproque proprement dit. Pendant la phase réflexe, c'est-à-dire pendant les premières semaines de leur vie, les nourrissons se regardent, se fixent visuellement l'un l'autre et ont quelques gestes pour s'approcher. Si, par hasard, ils se touchent, ils s'agrippent l'un à l'autre de façon réflexe, comme ils le font avec leur mère. Lorsqu'il s'agit de 2 bébés, ils se collent ventre à ventre et, s'ils sont plus de 2, ils s'accrochent les uns aux autres comme s'ils jouaient au petit train. Pendant la phase de manipulation, à partir du 2e mois, les bébés se palpent mutuellement, comme s'ils étaient des objets, avec des yeux, des mains, une bouche, un corps. Et ils explorent alternativement leur compagnon de jeu et l'environnement physique. Comme dans la phase précédente, il s'agit d'une période pré-sociale dans les relations entre enfants du même âge et l'activité exploratoire qui la caractérise persiste au stade du jeu réciproque. Lorsqu'ils se connaissent mieux, après s'être touchés et sentis mutuellement, ils commencent à réagir l'un à l'autre comme des êtres sociaux et non plus comme des objets matériels. Le jeu social se développe à partir des relations de manipulation. Le troisième stade, le jeu réciproque, marque le début de relations d'interactions sociales véritables entre enfants du même âge. Cette phase apparaît à l'âge de 3 mois et se combine avec des périodes d'exploration du monde physique et de jeu manipulatoire. Chez le bébé humain, le jeu réciproque apparaît à l'âge de 2 ans.

Clay a observé l'apparition et le développement des comportements de jeu chez ses sujets. Les enfants alternaient les périodes de relations étroites mère-enfant et celles où ils jouaient loin de leur mère, revenant vers elle ensuite pour reprendre contact.

Le retour périodique vers la mère est particulièrement nécessaire à l'enfant pour s'assurer que son contact avec elle est toujours solide, surtout lorsqu'il commence à explorer par lui-même d'autres parties du monde. Clay avait constaté que l'enfant dépendait de moins en moins du contact physique avec sa mère et passait de plus en plus de temps à jouer loin d'elle. Aux premiers âges, il n'était pas encore prêt à jouer de façon autonome et ne la quittait jamais que pour de brefs moments. Il avait encore besoin du contact rassurant de sa mère, contact physique et visuel.

Clay a bien insisté sur le fait que, chez tous les mammifères, les petits doivent apprendre à jouer. Le développement de l'aptitude à jouer dépend de la façon dont la mère reçoit et récompense les tentatives de l'enfant pour s'approcher d'elle et jouer. Apparemment, dans la classe ouvrière, les mères n'encouragent pas leurs enfants à jouer avec elles, autant que dans les autres classes sociales. Et, d'après l'étude de Clay, les enfants des classes supérieures ont plus facilement des élans tactiles vers leur mère pour jouer avec elle, que dans les classes moyennes.

Notons avec Clay, que les mères qui ne donnaient pas beaucoup de stimulations tactiles à leurs bébés les encourageaient cependant à jouer avec elles. Tout se passait comme si elles vivaient mal le contact physique direct et les sensations qu'il éveille, sauf dans les jeux où le contact physique est souvent médiatisé par des objets tels qu'une balle, une cuillère de pique-nique ou un petit bout de bois, qui le rendent acceptable.

Clay rappelle le travail de Williams sur la tactilité des Dusun à Bornéo dans lequel il attire l'attention sur la nécessité d'étudier « ... les différents moyens par lesquels on encourage les individus, ou on les contraint à abandonner certaines sensations tactiles particulières et à développer des substituts symboliques compensatoires à différents moments de leur socialisation culturelle ». On retrouve cette façon de se forger des substituts symboliques à la tactilité dans le comportement des enfants qui approchent leur mère avec différents accessoires de jeu.

Et il est important de comprendre que beaucoup d'autres formes d'apprentissage symbolique de cette nature ne sont rien d'autre que l'extension de cette expérience fondamentale inscrite dans la mémoire de la peau.

A. Tsumori a démontré, dans une étude sur les singes macaques au Japon, à quel point cette longue période de jeux exploratoires était importante pour le développement des comportements d'adaptation et la facilité à inventer de nouveaux comportements. Et Hall a très bien expliqué que, chez les primates non humains, la plupart des comportements adultes sont appris dans des situations sociales et reproduites dans les jeux.

Ces observations sont encore plus vraies pour l'espèce humaine [1].

Pour tous les mammifères, la séparation d'avec la mère joue un rôle important dans l'initiation de l'enfant et l'extension de ses contacts avec le reste du monde. Rheingold et Eckerman ont souligné que, même lorsque l'enfant est porté, ses contacts avec le monde sont nécessairement circonscrits. Ce n'est que lorsqu'il quitte le giron maternel, de lui-même, que d'autres formes d'apprentissage peuvent se produire.

Contact, personnalité et affection

L'éveil de la conscience de soi est en grande partie une question d'expérience tactile. Lorsque nous marchons, courons, sautons, lorsque nous sommes debout, assis, couchés, nous recevons des messages par nos muscles, nos articulations et autres tissus. Mais le message le plus fort, le plus intense nous vient de la peau. Bien avant que la température du corps ne s'élève ou tombe pour des causes externes, la peau a enregistré le changement et communiqué au cortex les messages nécessaires pour trouver les réponses appropriées au niveau des comportements.

1. Deux livres intéressants sur le jeu : J. Huizinga, *Homo Ludens*, New York, Roy Publishers, 1950 ; et H. C. Lehman et P. A. Witty, *La Psychologie des activités ludiques*, New York, A. S. Barnes Co., 1927.

Une fois séparé de la mère, l'enfant s'engage dans les activités exploratoires qui, si elles sont fondées sur ce qu'il voit, constituent en fait le prolongement de son apprentissage par les sensations tactiles. La vision dote la sensation tactile d'une signification matérielle mais c'est la référence tactile qui attribue à l'objet une forme et une dimension.

En résumant les résultats de son étude, Clay conclut :

> La question qui est à l'origine de notre étude est de savoir si la quantité et les formes de stimulations tactiles et de contacts que les mères américaines donnent à leur bébé et à leurs jeunes enfants correspondent à leurs besoins physiologiques et émotionnels. On doit y répondre par la négative.

Les mères que Clay avait observées à la plage s'occupaient moins de caresser leurs enfants, de les bercer, de leur exprimer leur amour, que de contrôler leur comportement et de veiller à leurs besoins d'éducation.

> Encourager, jouer ou faire preuve d'affection tactile étaient des comportements maternels secondaires et moins fréquents.

Clay a constaté à plusieurs reprises que les contacts tactiles entre la mère et l'enfant en bas âge (avant qu'il ne sache parler) relevaient plus souvent de la nécessité de lui donner des soins et une éducation que simplement de lui exprimer amour et affection.

Les pratiques impersonnelles d'éducation des enfants qui ont longtemps été de mode aux États-Unis impliquaient une rupture précoce du lien mère-enfant et la séparation de la mère et de l'enfant par des biberons, des vêtements, des couvertures, des poussettes, des berceaux et d'autres objets matériels. Elles produisaient des individus capables de vivre seuls, isolés, dans un monde urbain surpeuplé avec ses valeurs matérialistes et son culte de l'Objet. Clay suppose à juste titre qu'un degré d'intimité plus fort au sein de la famille, à commencer par le lien tactile mère-enfant qui est fondamental, aiderait peut-être les Américains à se sentir mieux ancrés dans la famille. En même temps s'ils reconnaissaient l'importance des besoins tactiles et émotionnels dès la naissance, cela pourrait les aider à résister aux pressions impersonnelles des temps modernes et aux vicissitudes inévitables de la vie.

C'est peut-être trop attendre des relations de toucher à l'intérieur de la famille, mais on peut souhaiter ardemment que ces pratiques soient largement adoptées. La famille américaine contemporaine constitue encore trop souvent une institution de production systématique de maladie mentale pour chacun de ses membres, à force de vouloir faire de chacun d'eux « un succès ». Pour en arriver là, les parents sentent bien qu'il ne faut pas donner aux enfants trop d'affection, même dans les âges où l'affection est réflexe, où les enfants ne peuvent littéralement pas recevoir trop d'affection, ils sont toujours en état de manque. Les parents se donnent toutes sortes de raisons : l'enfant serait trop gâté, il deviendrait trop dépendant des autres, il développerait un attachement anormal à sa mère, ou à d'autres garçons ou même à des filles, il deviendrait efféminé, etc. Le but culturel est de faire du garçon un homme viril et de la fille une intrigante réussie. Étant donné l'accent mis sur ces modèles, l'Américain en quête de succès les respecte, consciemment ou inconsciemment, que son expérience tactile de bébé ait été satisfaisante ou non. L'importance de la tactilité dans le processus de socialisation ne doit donc pas être surestimée, non plus qu'il ne faut, nous l'avons vu, la sous-estimer.

Mais, dans les stades pré-verbaux du développement humain, l'importance de l'expérience tactile ne risque pas, en fait, d'être surestimée, et c'est le but de ce livre que de transmettre ce message.

Envoi

Camerado, ceci n'est pas un livre,
Celui qui touche ceci, touche un homme.

Walt Whitman, *Salut!*

Dans les pages précédentes, nous avons vu que l'importance du toucher pour l'homme est infiniment plus grande que nous n'en avons eu conscience jusqu'ici. La peau est un organe déterminant dans le développement du comportement humain. Elle agit comme un récepteur sensoriel qui enregistre et répond au contact et à la sensation du toucher. Chaque sensation correspond à un message humain fondamental, et ce, presque dès l'instant de la naissance. Le stimulus de la sensation brute du toucher est vital pour la survie de l'organisme. En ce sens, on peut poser comme postulat que le besoin de sensation tactile devrait être ajouté à la liste des besoins organiques pour tous les vertébrés, et même pour les invertébrés.

Les besoins fondamentaux, définis comme des aspirations qui doivent être satisfaites pour que l'organisme survive, sont les besoins d'oxygène, de liquide, de nourriture, de repos, d'activité, de sommeil, les besoins d'élimination urinaire et fécale, l'aptitude à fuir le danger et à éviter la douleur. On peut remarquer que la sexualité ne fait pas partie des besoins fondamentaux, étant donné que la survie de l'organisme n'est pas soumise à la satisfaction de ce besoin. Il n'y a que quelques espèces qui ont besoin de satisfaire leurs pulsions sexuelles pour pouvoir survivre. Quoi qu'il en soit, les observations ont incontestablement prouvé qu'aucun organisme ne saurait survivre très longtemps sans stimulation cutanée d'origine externe.

218

Il est clair que les stimulations cutanées sont nécessaires à la survie de l'organisme. Et pourtant, cette constatation élémentaire ne semble pas vraiment reconnue. Le toucher, la forme de stimulation tactile à laquelle nous nous sommes particulièrement attachés dans ce livre, est très important en tant que stimulation cutanée. Par toucher, nous entendons le contact satisfaisant d'une autre peau ou la sensation satisfaisante de la sienne propre. Le toucher peut se faire en caressant, en cajolant, en tenant dans les bras, en frappant ou en tapotant avec le doigt ou avec la main, il peut aller d'un simple attouchement corporel à la stimulation tactile totale dans l'acte sexuel.

Nous avons survolé brièvement les différences qui existaient de culture à culture dans la manière d'exprimer le besoin de stimulation tactile et de le satisfaire. Mais le besoin lui-même est universel et partout le même, même si la façon dont il est réalisé peut varier selon le lieu et l'époque.

Les observations présentées dans ce livre suggèrent qu'un plaisir tactile satisfaisant pendant la petite enfance et pendant l'enfance est fondamental pour le développement ultérieur vers un comportement équilibré de l'individu. Les résultats d'expériences ou de recherches sur les animaux — et aussi les observations sur les hommes — montrent que la frustration tactile au début de la vie du bébé aboutit à des anomalies du comportement dans sa vie adulte. Aussi importantes que soient ces données théoriques, ce sont leurs implications pratiques qui nous intéressent ici. En un mot, comment ces découvertes peuvent-elles contribuer à l'amélioration de l'équilibre des êtres humains ?

Il devrait être évident que, pour le développement de la personne, la stimulation tactile doit commencer dès la naissance. L'enfant qui vient de naître doit aussitôt être mis dans les bras de sa mère et rester allongé près d'elle aussi longtemps qu'elle le désire. Il doit être mis au sein dès que possible. Il ne faut pas le placer dans un berceau ni l'emmener dans une « pouponnière ». On devrait rétablir et généraliser le berceau traditionnel qui est le meilleur substitut qu'on ait pu inventer et le meilleur auxiliaire au bercement dans les bras de la mère. Il est difficile de trop cajoler un bébé — une personne sensée et raisonnable ne surexcitera probablement pas un bébé ; mais si l'on hésite entre les deux attitudes, autant faire trop de caresses que pas assez. Au lieu d'utiliser une poussette, il vaut mieux que le père ou la mère porte l'enfant sur le dos dans un support équivalent au parka esquimau ou à la maïda chinoise.

On doit éviter de cesser trop brusquement toutes ces cajoleries. Et nous recommandons aux parents, dans les sociétés occidentales et aux États-Unis en particulier, d'être plus démonstratifs entre eux et avec leurs enfants qu'ils ne l'ont été par le passé. Ce n'est pas tant les mots que les gestes qui transmettent les émotions et l'affection dont enfants et parents ont en réalité grand besoin. Les sensations tactiles acquièrent une signification associée aux situations dans lesquelles elles sont éprouvées. Lorsque le toucher transmet l'affection et l'émotion qu'il implique, ces sensations sécurisantes et leurs significations resteront associées au toucher. Mais quelqu'un qui n'aurait pas eu une expérience tactile satisfaisante dans l'enfance serait privé de ces associations et aurait en conséquence des difficultés à établir des relations avec les autres. D'où l'importance du toucher pour l'homme.

REMERCIEMENTS

L'auteur tient à exprimer ses remerciements aux éditeurs et aux personnes qui lui ont accordé l'autorisation de puiser aux sources suivantes :

Vidal S. Clay, *The Effect of Culture on Mother-Child Tactile Communication*, Teachers College, Columbia University; R. James de Boer, *The Netsilik Eskimo and the Origins of Human Behavior;* S. Escalona, « Emotional Development in the First Year of Life », *in* M. J. E. Senn, éd., *Problems of Infancy and Childhood*, New York, Josiah Macy Jr Foundation, 1953; H. F. Harlow, M. K. Harlow et E. W. Hansen, « The Maternal Affectional System of Rhesus Monkeys », *in* H. L. Rheingold, éd., *Maternal Behavior in Mammals*, New York, Wiley, 1963; M. King, *Truby King the Man*, Londres, Allen & Unwin, 1948; Theodora Kroeber, *Alfred Kroeber :* A *Personal Configuration*, Berkeley, University of California Press, 1970; « On the Sense of Touch », *in* M. Mead et R. Métraux, éds, *The Study of Culture at a Distance*, University of Chicago Press, 1953; Joost A. M. Meerloo, *The Dance: From Ritual to Rock and Roll*, avec la permission de Chilton Book Compagny, Philadelphie; et P. F. D. Seitz, « Psychocutaneous Aspects of Persistent Pruritis and Excessive Excoriation », *in Archives of Dermatology and Syphilology*, vol. 64, 1951.

NOTE DE L'ÉDITEUR

La bibliographie originale du livre, exclusivement composée d'ouvrages et d'articles anglo-américains non traduits en français, peut être consultée in *Touching: The Human Significance of the Skin*, New York, Columbia University Press, 1971.

Table

IMPRIMERIE HÉRISSEY A ÉVREUX (8-86)
DÉPÔT LÉGAL : 4ᵉ TRIM. 1979. Nº 5307-6 (40677)